CADERNO DE
**COMPETÊNCIAS
ENEM**

LITERATURA

ENSINO MÉDIO

ORGANIZADORA EDIÇÕES SM

Obra coletiva concebida, desenvolvida
e produzida por Edições SM.

São Paulo,
1ª edição 2015

Ser Protagonista BOX Literatura – Caderno de Competências ENEM
© Edições SM Ltda.
Todos os direitos reservados

Direção editorial	Juliane Matsubara Barroso
Gerência editorial	Roberta Lombardi Martins
Gerência de processos editoriais	Marisa Iniesta Martin
Coordenação de área	Andressa Munique Paiva
Edição	Cristiane Escolástico Siniscalchi, Marília Rodela Oliveira, Talita Mochiute
Colaboração técnico-pedagógica	Daniel Gomes da Fonseca, Wilker Sousa
Assistência administrativa editorial	Alzira Aparecida Bertholim Meana, Camila Cunha, Flavia Casellato, Silvana Siqueira
Preparação e revisão	Cláudia Rodrigues do Espírito Santo (Coord.), Ana Paula Ribeiro Migiyama, Angélica Lau P. Soares, Eliane Santoro, Fernanda Oliveira Souza, Izilda de Oliveira Pereira, Nancy Helena Dias, Rosinei Aparecida Rodrigues Araujo, Sandra Regina Fernandes, Valéria Cristina Borsanelli, Marco Aurélio Feltran (apoio de equipe)
Coordenação de *design*	Erika Tiemi Yamauchi Asato
Coordenação de arte	Ulisses Pires
Projeto gráfico	Erika Tiemi Yamauchi Asato
Capa	Megalo Design
Edição de arte	Andressa Fiorio, Melissa Steiner Rocha Antunes
Editoração eletrônica	Equipe SM, [sic] comunicação
Iconografia	Josiane Laurentino (Coord.), Bianca Fanelli, Susan Eiko Diaz
Tratamento de imagem	Marcelo Casaro
Fabricação	Alexander Maeda
Impressão	Forma Certa Gráfica Digital

Dados Internacionais de Catalogação na Publicação (CIP)
(Câmara Brasileira do Livro, SP, Brasil)

Ser protagonista box : literatura, ensino médio : caderno de
 competências ENEM / organizadora Edições SM ;
 obra coletiva concebida, desenvolvida e produzida por
 Edições SM. — São Paulo : Edições SM, 2015. —
 (Coleção ser protagonista)

Vários autores.
Bibliografia.
ISBN 978-85-418-0999-3 (aluno)
ISBN 978-85-418-1000-5 (professor)

1. ENEM - Exame Nacional do Ensino Médio 2. Literatura
(Ensino médio) 3. Português (Ensino médio) I. Série.

15-03623   CDD-869.07

Índices para catálogo sistemático:
1. Literatura : Português : Ensino médio 869.07

1ª edição, 2015
6 impressão, novembro 2024

 Edições SM Ltda.
Rua Tenente Lycurgo Lopes da Cruz, 55
Água Branca 05036-120 São Paulo SP Brasil
Tel. 11 2111-7400
edicoessm@grupo-sm.com
www.edicoessm.com.br

Apresentação

Este livro, complementar à coleção *Ser Protagonista*, contém aproximadamente cem questões elaboradas segundo o modelo das competências e habilidades, introduzido no universo educacional pioneiramente pelo Enem e depois adotado por muitos vestibulares do país. A maioria das questões é do próprio Enem; as demais foram elaboradas pela equipe editorial de Edições SM.

O volume proporciona prática mais do que suficiente para dar ao aluno o domínio das estratégias de resolução adequadas. Além disso, ao evidenciar o binômio competência-habilidade explorado em cada questão, contribui para adquirir mais consciência do processo de aprendizagem e, consequentemente, mais autonomia.

Antes de começar a resolver as questões, recomenda-se a leitura da seção *Para conhecer o Enem*, que fornece informações detalhadas sobre a história do Enem e apresenta a matriz de competências e habilidades de cada área do conhecimento.

Edições SM

CONHEÇA SEU LIVRO

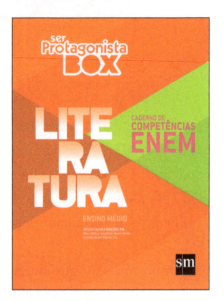

O *Ser Protagonista* Competências Enem possibilita um trabalho sistemático e contínuo com as principais habilidades exigidas pelo Enem.

Apresenta questões selecionadas das provas do Enem e também questões inéditas, desenvolvidas com base na Matriz de Referência do Enem (identificadas pela sigla SM).

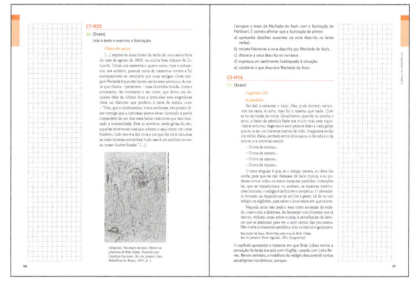

Todas as questões trazem a indicação da competência e da habilidade que está sendo trabalhada.

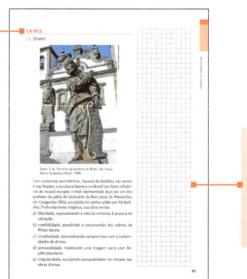

Este espaço é destinado a resoluções de exercícios e anotações.

SUMÁRIO

Para conhecer o Enem 6
- **Uma breve história do Enem** 6
    - O contexto, a análise e a reflexão interdisciplinar 8
    - Os eixos cognitivos 9
    - Competências e habilidades 10
    - As áreas de conhecimento 10
- *Ser Protagonista* **Competências Enem** 13
- **Atividades** 14

PARA CONHECER O ENEM

O Exame Nacional do Ensino Médio (Enem) tornou-se o exame mais importante realizado pelos alunos que concluem a formação básica. Sem dúvida, essa avaliação ganhou destaque nos últimos anos, na medida em que é, atualmente, a principal forma de ingresso no Ensino Superior público e, em grande medida, também no Ensino Superior privado.

Por conta disso, em 2015, a edição do Enem teve mais de 8,4 milhões de candidatos inscritos. O objetivo de quem faz o exame no contexto atual é, fundamentalmente, ingressar no Ensino Superior. As informações disponíveis neste material foram elaboradas no sentido de auxiliá-lo nessa tarefa.

Uma breve história do Enem

A primeira edição do Enem é de 1998. As características daquela avaliação eram diferentes das características da edição atual. Apesar de poucas mudanças pedagógicas, há muitas diferenças no que diz respeito à estrutura do exame.

Em 1998, a prova tinha 63 questões com uma proposta interdisciplinar e mais uma redação, realizada em apenas um dia. Muito diferente do formato atual, no qual as provas são divididas em quatro áreas do conhecimento – Ciências Humanas, Ciências da Natureza, Linguagens e Códigos e Matemática e suas respectivas tecnologias – e mais a redação. Além disso, com 180 questões, a prova ficou muito maior e mais abrangente, exigindo maior capacidade de organização e concentração dos candidatos em dois dias de aplicação.

É importante compreender os sentidos dessas mudanças e os seus significados. Em suma, é relevante esclarecer por que e como o Enem se tornou o exame mais importante do país.

Em meados da década de 1990, uma proposta de reforma no sistema educacional brasileiro foi finalmente posta em prática com a criação da Lei de Diretrizes e Bases da Educação Nacional (LDB, Lei n. 9 394/1996).

A nova lei apresentava uma proposta, inovadora à época, de organização da chamada educação básica, incluindo nela o Ensino Médio, como última etapa dessa formação. No artigo 35, a lei apresentava os objetivos gerais do Ensino Médio:

> O Ensino Médio, etapa final da educação básica, com duração mínima de três anos, terá como finalidades:
>
> I – a consolidação e o aprofundamento dos conhecimentos adquiridos no ensino fundamental, possibilitando o prosseguimento de estudos;
>
> II – a preparação básica para o trabalho e a cidadania do educando, para continuar aprendendo, de modo a ser capaz de se adaptar com flexibilidade a novas condições de ocupação ou aperfeiçoamento posteriores;
>
> III – o aprimoramento do educando como pessoa humana, incluindo a formação ética e o desenvolvimento da autonomia intelectual e do pensamento crítico;
>
> IV – a compreensão dos fundamentos científico-tecnológicos dos processos produtivos, relacionando a teoria com a prática, no ensino de cada disciplina.
>
> BRASIL. Presidência da República. Lei de Diretrizes e Bases da Educação (Lei n. 9 394, de 20 de dezembro de 1996). Brasília, 1996. Disponível em: <http://www.planalto.gov.br/ccivil_03/leis/l9394.htm>. Acesso em: 10 jun. 2015.

Assim, o Ensino Médio se tornava parte integrante da formação básica dos estudantes brasileiros, e seu papel seria a continuação dos estudos, a preparação para o mundo do trabalho e da cidadania, o desenvolvimento dos valores humanos e éticos e a formação básica no que tange aos aspectos científicos e tecnológicos.

Tentava-se, assim, aproximar a educação brasileira das questões contemporâneas, dotá-la de capacidade para enfrentar os dilemas do mundo rápido, tecnológico e globalizado que começava a se solidificar naquele momento.

Nesse caminho, pouco mais de dois anos depois, o Ministério da Educação apresentou ao país os Parâmetros Curriculares Nacionais para o Ensino Médio. A proposta de elaborar um currículo baseado em competências e habilidades, sustentado na organização de eixos cognitivos e em áreas de conhecimento, foi a estrutura básica dos Parâmetros e a característica fundamental do modelo pedagógico que se tentava implementar no país a partir de então.

A preocupação era, novamente, dotar os educandos de uma formação adequada para o novo mundo tecnológico, de mudanças rápidas que exigem adaptação quase instantânea a realidades que nem bem se cristalizam já estão sendo transformadas. Por isso, a ideia de organizar o currículo com base em competências que garantam a atuação do indivíduo numa nova realidade social, econômica e política:

> A revolução tecnológica, por usa vez, cria novas formas de socialização, processos de produção e, até mesmo, novas definições de identidade individual e coletiva. Diante desse mundo globalizado, que apresenta múltiplos desafios para o homem, a educação surge como uma utopia necessária indispensável à humanidade na sua construção da paz, da liberdade e da justiça social. [...]
>
> Considerando-se tal contexto, buscou-se construir novas alternativas de organização curricular para o Ensino Médio comprometidas, de um lado, com o novo significado do trabalho no contexto da globalização e, de outro, com o sujeito ativo, a pessoa humana que se apropriará desses conhecimentos para se aprimorar, como tal, no mundo do trabalho e na prática social. Há, portanto, necessidade de se romper com modelos tradicionais, para que se alcancem os objetivos propostos para o Ensino Médio.
>
> BRASIL. Ministério da Educação. Secretaria de Educação Média e Tecnológica. *Parâmetros curriculares nacionais:* Ensino Médio. Brasília: Ministério da Educação, 1999. p. 25.

Foi com base nesses documentos e na visão que eles carregam sobre o significado da educação na última etapa da formação básica, isto é, uma educação voltada para a cidadania no contexto de um país e um mundo em constante transformação, que o Enem foi pensado como um exame de avaliação do Ensino Médio brasileiro.

Em 1998, na sua primeira versão, o Enem pretendia dar subsídios para a avaliação do desempenho geral dos alunos ao final da educação básica, buscando aferir o nível de desenvolvimento das habilidades e das competências propostas na LDB e nos Parâmetros Curriculares Nacionais.

O exame tornava-se, assim, uma ferramenta de avaliação que os próprios estudantes poderiam utilizar para analisar sua formação geral e, conforme indicavam os documentos que sustentaram sua criação, como uma forma alternativa para processos de seleção para novas modalidades de ensino após a formação básica e mesmo para o mundo do trabalho.

Inscrições para o Sistema de Seleção Unificada (SiSU) na Universidade Federal do Maranhão (UFMA) em 2012.

PARA CONHECER O ENEM

Ao longo dos anos, o número de inscritos foi crescendo, chegando à casa dos milhões desde 2001, e a prova passou a ser utilizada em vários processos seletivos de universidades públicas e privadas. Essa transformação tem um momento decisivo no ano de 2004, quando o governo federal criou o Programa Universidade para Todos (ProUni) – pelo qual alunos de baixa renda, oriundos da escola pública ou bolsistas integrais de escolas privadas, podem cursar o Ensino Superior privado com bolsas de 100% ou 50%.

Nesse momento, quando várias escolas de nível superior privado aderiram ao ProUni, o Enem ganhou uma dimensão gigantesca, com mais de três milhões de inscritos em 2005.

Em 2009, com a criação do Sistema de Seleção Unificada (SiSU), no qual a maioria das vagas nas universidades federais é disputada pelos candidatos que realizaram o Enem numa plataforma virtual, o exame do Enem passou por uma profunda reformulação. Desde então, a avaliação se realiza em dois dias, no último fim de semana do mês de outubro, com 180 questões e uma redação.

A forma de pontuação também mudou. Inspirado no sistema estadunidense, o Ministério da Educação implementou a Teoria de Resposta ao Item (TRI), na qual cada questão passa por classificações de dificuldade e complexidade e a pontuação varia de acordo com essa classificação, as consideradas mais difíceis recebem uma pontuação maior que as consideradas mais fáceis. Além disso, é possível, segundo a TRI, verificar possíveis "chutes", caso o candidato acerte questões difíceis e erre as fáceis sobre assuntos parecidos. Assim, desde então, provas de anos diferentes podem ser comparadas e os resultados do Enem podem ser analisados globalmente.

Com a adesão de mais de 80% das universidades federais ao SiSU e com quase 200 mil bolsas oferecidas em universidades privadas pelo ProUni, o Enem se tornou o exame mais importante do país. Além de avaliar o desempenho dos alunos, ele passou a ser decisivo para o ingresso nas escolas de Ensino Superior em todo o país.

■ O contexto, a análise e a reflexão interdisciplinar

Desde sua primeira formulação, o Enem sempre se apoiou na proposta de ser uma prova interdisciplinar. Desde 2009, no entanto, o exame mantém a interdisciplinaridade, mas dentro das áreas de conhecimento. Assim, a interdisciplinaridade se realiza entre as disciplinas das quatro grandes áreas: Linguagens e Códigos, Matemática, Ciências Humanas e Ciências da Natureza.

Em geral, as questões exigem dos candidatos capacidade de análise e reflexão sobre contextos. Procura-se, portanto, estabelecer a relação entre o conhecimento adquirido e a realidade cotidiana que nos cerca, abordando as múltiplas facetas da vida social, desde aspectos culturais até os tecnológicos e científicos.

As capacidades de leitura e de interpretação, nas suas diversas modalidades – textos, documentos, gráficos, tabelas, charges, obras de arte, estruturas arquitetônicas, etc. –, são elementos centrais da proposta pedagógica do exame. O domínio dessas competências se aplica a toda a prova, na medida em que não há, no Enem, questões que exijam apenas memorização. Na verdade, elas exigem capacidade de análise crítica pela leitura e interpretação das situações-problema apresentadas.

Portanto, em geral, o Enem apresenta diferenças de estilo e proposta pedagógica quando comparado aos vestibulares tradicionais. Entretanto, isso não quer dizer que a prova não exija uma boa formação no Ensino Médio. Ao contrário, ela é essencial para que o desempenho seja satisfatório, já que o exame procura valorizar todo o conhecimento obtido e relacionado ao cotidiano. Além disso, verifica-se, nos últimos anos, uma aproximação dos vestibulares à proposta do Enem, tornando-os mais reflexivos e críticos, em detrimento do caráter memorizador que algumas provas apresentavam anteriormente, o que vem exigindo também uma reformulação dos currículos e das propostas pedagógicas das escolas.

Dessa forma, não se trata de analisar se o Enem é mais fácil ou mais difícil que os exames vestibulares tradicionais, mas de compreender as suas características e se preparar para realizar a prova da melhor maneira possível.

Os eixos cognitivos

O Enem está estruturado em torno de eixos cognitivos. Eles são a base para todas as áreas do conhecimento e se referem, essencialmente, aos domínios básicos que os candidatos devem ter para enfrentar, compreender e resolver as questões que a prova apresenta. Mas, principalmente, são as referências básicas do que precisamos dominar para atuar na realidade social, política, econômica, cultural e tecnológica que nos cerca.

A Matriz de Referência do Enem apresenta os cinco eixos cognitivos:

I. **Dominar linguagens (DL):** dominar a norma culta da Língua Portuguesa e fazer uso das linguagens matemática, artística e científica e das línguas espanhola e inglesa.

II. **Compreender fenômenos (CF):** construir e aplicar conceitos das várias áreas do conhecimento para a compreensão de fenômenos naturais, de processos histórico-geográficos, da produção tecnológica e das manifestações artísticas.

III. **Enfrentar situações-problema (SP):** selecionar, organizar, relacionar, interpretar dados e informações representados de diferentes formas, para tomar decisões e enfrentar situações-problema.

IV. **Construir argumentação (CA):** relacionar informações, representadas em diferentes formas, e conhecimentos disponíveis em situações concretas, para construir argumentação consistente.

V. **Elaborar propostas (EP):** recorrer aos conhecimentos desenvolvidos na escola para elaboração de propostas de intervenção solidária na realidade, respeitando os valores humanos e considerando a diversidade sociocultural.

BRASIL. Ministério da Educação. Instituto Nacional de Estudos e Pesquisas Educacionais Anísio Teixeira. *Matriz de Referência para o Enem*. Brasília, 2009. Disponível em: <http://portal.mec.gov.br/index.php?Itemid=310+enen.br>. Acesso em: 12 fev. 2014.

Conforme podemos perceber pela leitura atenta, os eixos cognitivos são essenciais para a compreensão, o diagnóstico e a ação diante de qualquer situação que se apresente a nós. A ideia é que, dominando esses eixos, os candidatos sejam capazes de solucionar os desafios colocados diante deles nas provas e na vida. Assim, propõe-se um exame que valorize aspectos da vida real, apresentando problemas para que os candidatos demonstrem capacidade de compreensão e diagnóstico, de encarar a situação, analisando seu contexto, de construir argumentação em torno do desafio para, por fim, elaborar uma proposta de ação.

Os eixos cognitivos, chamados, até o Enem 2008, de competências gerais, são a estrutura básica do exame, o sustentáculo pedagógico que dá sentido à prova, na medida em que garantem a ela uma coerência, já que todos os desafios apresentados na avaliação têm de se fundamentar nesses eixos.

Competências e habilidades

As diversas áreas do conhecimento possuem as suas competências e habilidades específicas, que procuram evidenciar as características das abordagens de cada uma das áreas. Mas afinal, qual a diferença entre competência e habilidade? O que elas significam?

A base para a elaboração da Matriz de Referência do Enem são os Parâmetros Curriculares Nacionais para o Ensino Médio. Vejamos, então, como ali se apresenta a ideia de competência:

> De que competências se está falando? Da capacidade de abstração, do desenvolvimento do pensamento sistêmico, ao contrário da compreensão parcial e fragmentada dos fenômenos, da criatividade, da curiosidade, da capacidade de pensar múltiplas alternativas para a solução de um problema, ou seja, do desenvolvimento do pensamento divergente, da capacidade de trabalhar em equipe, da disposição para procurar e aceitar críticas, da disposição para o risco, do desenvolvimento do pensamento crítico, do saber comunicar-se, da capacidade de buscar conhecimento. Estas são competências que devem estar presentes na esfera social, cultural, nas atividades políticas e sociais como um todo, e que são condições para o exercício da cidadania num contexto democrático.
>
> BRASIL. Ministério da Educação. Secretaria de Educação Média e Tecnológica. *Parâmetros curriculares nacionais*: Ensino Médio. Brasília: Ministério da Educação, 1999. p. 24.

Ora, as competências são entendidas como mecanismos fundamentais para a compreensão do mundo e atuação nele, isto é, o saber fazer, conhecer, viver e ser. Não basta o domínio dos conteúdos; é necessário saber aplicá-los ao contexto em que se encontra. Isso é competência: a capacidade de contextualizar o saber, ou seja, comparar, classificar, analisar, discutir, descrever, opinar, julgar, fazer generalizações, analogias e diagnósticos.

As habilidades são as ferramentas de que podemos dispor para desenvolver competências. Logo, para saber fazer, conhecer, viver e ser, precisamos de instrumentais que nos conduzam para que a ação se torne eficaz. As habilidades são esses instrumentais que, manejados, possibilitam atingir os objetivos e desenvolver as competências.

Podemos concluir, portanto, que no Exame Nacional do Ensino Médio o conteúdo que aprendemos na escola deve ser utilizado como instrumento de vivência e de aplicabilidade real, por isso a necessidade de desenvolver competências e habilidades que permitam isso. Assim, os diferentes conteúdos das diversas áreas do conhecimento estão presentes na prova, mas de forma estrategicamente pensada e aplicada a situações da realidade social, política, econômica, cultural, científica e tecnológica.

As áreas de conhecimento

Linguagens, códigos e suas tecnologias

As competências e habilidades para a área de linguagens e códigos envolvem as disciplinas de Língua Portuguesa, Língua Estrangeira e Arte. Elas se referem à relação entre a comunicação e expressão nas suas diferentes formas e a capacidade de leitura do mundo com base nelas.

Nessa área é importante que se atente para os mecanismos e as relações das tecnologias de comunicação com a vida social. As diferentes formas de linguagem devem ser exploradas como recursos do conhecimento do mundo, aplicado à realidade social. Além disso, perceber a relação entre comunicação, cultura e identidade, sendo a arte uma das formas de expressão mais importantes desses valores culturais e de identidade.

Por fim, o Enem exigirá do candidato capacidade de relacionar os aspectos simbólicos da comunicação e da arte, bem como os impactos da tecnologia nas diversas formas de aplicação da linguagem, com a vida social.

As competências e habilidades da área são as seguintes:

Competência de área 1
Aplicar as tecnologias da comunicação e da informação na escola, no trabalho e em outros contextos relevantes para sua vida.

H1 — Identificar as diferentes linguagens e seus recursos expressivos como elementos de caracterização dos sistemas de comunicação.

H2 — Recorrer aos conhecimentos sobre as linguagens dos sistemas de comunicação e informação para resolver problemas sociais.

H3 — Relacionar informações geradas nos sistemas de comunicação e informação, considerando a função social desses sistemas.

H4 — Reconhecer posições críticas aos usos sociais que são feitos das linguagens e dos sistemas de comunicação e informação.

Competência de área 2
Conhecer e usar língua(s) estrangeira(s) moderna(s) como instrumento de acesso a informações e a outras culturas e grupos sociais.

H5 — Associar vocábulos e expressões de um texto em LEM ao seu tema.

H6 — Utilizar os conhecimentos da LEM e de seus mecanismos como meio de ampliar as possibilidades de acesso a informações, tecnologias e culturas.

H7 — Relacionar um texto em LEM, as estruturas linguísticas, sua função e seu uso social.

H8 — Reconhecer a importância da produção cultural em LEM como representação da diversidade cultural e linguística.

Competência de área 3
Compreender e usar a linguagem corporal como relevante para a própria vida, integradora social e formadora da identidade.

H9 — Reconhecer as manifestações corporais de movimento como originárias de necessidades cotidianas de um grupo social.

H10 — Reconhecer a necessidade de transformação de hábitos corporais em função das necessidades sinestésicas.

H11 — Reconhecer a linguagem corporal como meio de interação social, considerando os limites de desempenho e as alternativas de adaptação para diferentes indivíduos.

Competência de área 4
Compreender a arte como saber cultural e estético gerador de significação e integrador da organização do mundo e da própria identidade.

H12	Reconhecer diferentes funções da arte, do trabalho da produção dos artistas em seus meios culturais.
H13	Analisar as diversas produções artísticas como meio de explicar diferentes culturas, padrões de beleza e preconceitos.
H14	Reconhecer o valor da diversidade artística e das inter-relações de elementos que se apresentam nas manifestações de vários grupos sociais e étnicos.

Competência de área 5
Analisar, interpretar e aplicar recursos expressivos das linguagens, relacionando textos com seus contextos, mediante a natureza, função, organização, estrutura das manifestações, de acordo com as condições de produção e recepção.

H15	Estabelecer relações entre o texto literário e o momento de sua produção, situando aspectos do contexto histórico, social e político.
H16	Relacionar informações sobre concepções artísticas e procedimentos de construção do texto literário.
H17	Reconhecer a presença de valores sociais e humanos atualizáveis e permanentes no patrimônio literário nacional.

Competência de área 6
Compreender e usar os sistemas simbólicos das diferentes linguagens como meios de organização cognitiva da realidade pela constituição de significados, expressão, comunicação e informação.

H18	Identificar os elementos que concorrem para a progressão temática e para a organização e estruturação de textos de diferentes gêneros e tipos.
H19	Analisar a função da linguagem predominante nos textos em situações específicas de interlocução.
H20	Reconhecer a importância do patrimônio linguístico para a preservação da memória e da identidade nacional.

Competência de área 7
Confrontar opiniões e pontos de vista sobre as diferentes linguagens e suas manifestações específicas.

H21	Reconhecer em textos de diferentes gêneros, recursos verbais e não verbais utilizados com a finalidade de criar e mudar comportamentos e hábitos.
H22	Relacionar, em diferentes textos, opiniões, temas, assuntos e recursos linguísticos.
H23	Inferir em um texto quais são os objetivos de seu produtor e quem é seu público-alvo, pela análise dos procedimentos argumentativos utilizados.
H24	Reconhecer no texto estratégias argumentativas empregadas para o convencimento do público, tais como a intimidação, sedução, comoção, chantagem, entre outras.

Competência de área 8
Compreender e usar a língua portuguesa como língua materna, geradora de significação e integradora da organização do mundo e da própria identidade.

H25	Identificar, em textos de diferentes gêneros, as marcas linguísticas que singularizam as variedades linguísticas sociais, regionais e de registro.
H26	Relacionar as variedades linguísticas a situações específicas de uso social.
H27	Reconhecer os usos da norma-padrão da língua portuguesa nas diferentes situações de comunicação.

Competência de área 9
Entender os princípios, a natureza, a função e o impacto das tecnologias da comunicação e da informação na sua vida pessoal e social, no desenvolvimento do conhecimento, associando-o aos conhecimentos científicos, às linguagens que lhes dão suporte, às demais tecnologias, aos processos de produção e aos problemas que se propõem solucionar.

H28	Reconhecer a função e o impacto social das diferentes tecnologias da comunicação e informação.
H29	Identificar pela análise de suas linguagens as tecnologias da comunicação e informação.
H30	Relacionar as tecnologias de comunicação e informação ao desenvolvimento das sociedades e ao conhecimento que elas produzem.

BRASIL. Ministério da Educação. Instituto Nacional de Estudos e Pesquisas Educacionais Anísio Teixeira. *Matriz de Referência para o Enem*. Brasília, 2009. Disponível em: <http://portal.mec.gov.br/index.php?Itemid=310+enen.br>. Acesso em: 10 jun. 2015.

Para obter mais informações sobre o Enem, consulte <http://portal.inep.gov.br/web/enem>. Acesso em: 10 jun. 2015.

Ser Protagonista Competências Enem

Desde sua formulação, os livros da coleção Ser Protagonista concebem a educação com base nos referenciais das competências e habilidades a serem desenvolvidas em cada uma das áreas do conhecimento. Os exercícios elaborados para os livros procuram trabalhar esses elementos, destacando-se na contextualização e no propósito de envolver problemas da multifacetada realidade da sociedade atual.

A intenção é ampliar esse olhar, apresentando um material adicional no qual o propósito da coleção é ainda mais aprofundado. Neste caderno, você tem acesso a um material específico, focado no desenvolvimento dos eixos cognitivos e nas competências e habilidades do Enem. O objetivo é complementar e fortalecer o projeto pedagógico da coleção Ser Protagonista, com a intenção de fortalecer ainda mais a proposta pedagógica praticada.

Atividades

C5-H17

1. (Enem)

    Texto I

    Onde está a honestidade?

    Você tem palacete reluzente
    Tem joias e criados à vontade
    Sem ter nenhuma herança ou parente
    Só anda de automóvel na cidade...

    E o povo pergunta com maldade:
    Onde está a honestidade?
    Onde está a honestidade?

    O seu dinheiro nasce de repente
    E embora não se saiba se é verdade
    Você acha nas ruas diariamente
    Anéis, dinheiro e felicidade...

    Vassoura dos salões da sociedade
    Que varre o que encontrar em sua frente
    Promove festivais de caridade
    Em nome de qualquer defunto ausente...

    Rosa, N. Disponível em: <http://www.mpbnet.com.br>. Acesso em: abr. 2010.

    Texto II

    Um vulto da história da música popular brasileira, reconhecido nacionalmente, é Noel Rosa. Ele nasceu em 1910, no Rio de Janeiro; portanto, se estivesse vivo, estaria completando 100 anos. Mas faleceu aos 26 anos de idade, vítima de tuberculose, deixando um acervo de grande valor para o patrimônio cultural brasileiro. Muitas de suas letras representam a sociedade contemporânea, como se tivessem sido escritas no século XXI.

    Disponível em: <http://www.mpbnet.com.br>. Acesso em: abr. 2010.

    Um texto pertencente ao patrimônio literário-cultural brasileiro é atualizável, na medida em que ele se refere a valores e situações de um povo. A atualidade da canção *Onde está a honestidade?*, de Noel Rosa, evidencia-se por meio:

    a) da ironia, ao se referir ao enriquecimento de origem duvidosa de alguns.

b) da crítica aos ricos que possuem joias, mas não têm herança.

c) da maldade do povo a perguntar sobre a honestidade.

d) do privilégio de alguns em clamar pela honestidade.

e) da insistência em promover eventos beneficentes.

C5-H16

2. (Enem)

Erico Verissimo relata, em suas memórias, um episódio da adolescência que teve influência significativa em sua carreira de escritor.

> Lembro-me de que certa noite – eu teria uns quatorze anos, quando muito – encarregaram-me de segurar uma lâmpada elétrica à cabeceira da mesa de operações, enquanto um médico fazia os primeiros curativos num pobre-diabo que soldados da Polícia Municipal haviam "carneado". [...] Apesar do horror e da náusea, continuei firme onde estava, talvez pensando assim: se esse caboclo pode aguentar tudo isso sem gemer, por que não hei de poder ficar segurando esta lâmpada para ajudar o doutor a costurar esses talhos e salvar essa vida? [...] Desde que, adulto, comecei a escrever romances, tem-me animado até hoje a ideia de que o menos que o escritor pode fazer, numa época de atrocidades e injustiças como a nossa, é acender a sua lâmpada, fazer luz sobre a realidade de seu mundo, evitando que sobre ele caia a escuridão, propícia aos ladrões, aos assassinos e aos tiranos. Sim, segurar a lâmpada, a despeito da náusea e do horror. Se não tivermos uma lâmpada elétrica, acendamos o nosso toco de vela ou, em último caso, risquemos fósforos repetidamente, como um sinal de que não desertamos nosso posto.

Erico Verissimo. *Solo de Clarineta*. Porto Alegre: Globo, 1978. t. I.

Neste texto, por meio da metáfora da lâmpada que ilumina a escuridão, Erico Verissimo define como uma das funções do escritor e, por extensão, da literatura,

a) criar a fantasia.

b) permitir o sonho.

c) denunciar o real.

d) criar o belo.

e) fugir da náusea.

C6-H18

3. (Enem)

Tarefa

Morder o fruto amargo e não cuspir
Mas avisar aos outros quanto é amargo
Cumprir o trato injusto e não falhar
Mas avisar aos outros quanto é injusto
Sofrer o esquema falso e não ceder
Mas avisar aos outros quanto é falso
Dizer também que são coisas mutáveis...
E quando em muitos a não pulsar
– do amargo e injusto e falso por mudar –
então confiar à gente exausta o plano
de um mundo novo e muito mais humano.

GEIR CAMPOS. *Tarefa*. Rio de Janeiro: Civilização Brasileira, 1981.

Na organização do poema, os empregos da conjunção "mas" articulam, para além de sua função sintática,

a) a ligação entre verbos semanticamente semelhantes.

b) a oposição entre ações aparentemente inconciliáveis.

c) a introdução do argumento mais forte de uma sequência.

d) o reforço da causa apresentada no enunciado introdutório.

e) a intensidade dos problemas sociais presentes no mundo.

C5-H15

4. (Enem)

Se os tubarões fossem homens

Se os tubarões fossem homens, eles seriam mais gentis com os peixes pequenos?

Certamente, se os tubarões fossem homens, fariam construir resistentes gaiolas no mar para os peixes pequenos, com todo o tipo de alimento, tanto animal como vegetal. Cuidariam para que as gaiolas tivessem sempre água fresca e adotariam todas as providências sanitárias.

Naturalmente haveria também escolas nas gaiolas. Nas aulas, os peixinhos aprenderiam como nadar para a goela dos tubarões. Eles aprenderiam, por exemplo, a usar a geografia para localizar os grandes tubarões deitados preguiçosamente por aí. A aula principal seria, naturalmente, a formação moral dos peixinhos. A eles seria ensinado que o ato mais grandioso e mais sublime é o sacrifício alegre de um peixinho e que todos deveriam acreditar nos tubarões, sobretudo quando estes dissessem que cuidavam de sua felicidade futura. Os peixinhos saberiam que este futuro só estaria garantido se aprendessem a obediência.

Cada peixinho que na guerra matasse alguns peixinhos inimigos seria condecorado com uma pequena Ordem das Algas e receberia o título de herói.

BERTOLT BRECHT. *Histórias do Sr. Keuner*. São Paulo: Ed. 34, 2006 (adaptado).

Como produção humana, a literatura veicula valores que nem sempre estão representados diretamente no texto, mas são transfigurados pela linguagem literária e podem até entrar em contradição com as convenções sociais e revelar o quanto a sociedade perverteu os valores humanos que ela própria criou. É o que ocorre na narrativa do dramaturgo alemão Bertolt Brecht mostrada. Por meio da hipótese apresentada, o autor:

a) demonstra o quanto a literatura pode ser alienadora ao retratar, de modo positivo, as relações de opressão existentes na sociedade.

b) revela a ação predatória do homem no mar, questionando a utilização dos recursos naturais pelo homem ocidental.

c) defende que a força colonizadora e civilizatória do homem ocidental valorizou a organização das sociedades africanas e asiáticas, elevando-as ao modo de organização cultural e social da sociedade moderna.

d) questiona o modo de organização das sociedades ocidentais capitalistas, que se desenvolveram fundamentadas nas relações de opressão em que os mais fortes exploram os mais fracos.

e) evidencia a dinâmica social do trabalho coletivo em que os mais fortes colaboram com os mais fracos, de modo a guiá-los na realização de tarefas.

C5-H16

5. **(SM)** Leia as duas primeiras estrofes de uma cantiga portuguesa medieval, composta por Pero da Ponte em meados do século XIII.

Se eu pudesse desamar
a quem me sempre desamou,
e pudess' algum mal buscar
a quem me sempre mal buscou!
Assim me vingaria eu,
    se eu pudesse coita dar
    a quem me sempre coita deu.

Mas se não posso eu enganar
meu coração, que m'enganou,
por quanto me faz desejar
a quem me nunca desejou.
E por isto não durmo eu,
    porque não posso coita dar
    a quem me sempre coita deu.

<small>PERO DA PONTE. Disponível em: <http://cantigas.fcsh.unl.pt/cantiga.asp?cdcant=986&pv=sim>. Acesso em: 11 jun. 2015 (adaptado).</small>

A respeito das estrofes acima, assinale a alternativa correta.

a) As duas estrofes são idênticas, pelo número de versos, às duas estrofes iniciais dos sonetos.

b) Seu tema é a coita de amor, ou seja, o sofrimento amoroso causado por um amor não correspondido.

c) As duas estrofes são parte de uma cantiga de escárnio, uma vez que o sentimento de vingança transforma o conjunto em uma sátira.

d) As estrofes pertencem a uma cantiga de maldizer, apesar da ausência da linguagem obscena, típica dessas cantigas.

e) O eu lírico explicitamente feminino se dirige ao amigo para convencê-lo a retornar.

C4-H13

6. (Enem)

    Das irmãs

    os meus irmãos sujando-se
    na lama
    e eis-me aqui cercada
    de alvura e enxovais
    eles se provocando e provando
    do fogo
    e eu aqui fechada

provendo a comida
eles se lambuzando e arrotando
na mesa e eu a temperada
servindo, contida
os meus irmãos jogando-se
na cama
e eis-me afiançada
por dote e marido

Sonia Queiroz. *O sacro ofício*. Belo Horizonte: Comunicação, 1980.

O poema de Sonia Queiroz apresenta uma voz lírica feminina que contrapõe o estilo de vida do homem ao modelo reservado à mulher. Nessa contraposição, ela conclui que:

a) a mulher deve conservar uma assepsia que a distingue de homens, que podem se jogar na lama.

b) a palavra "fogo" é uma metáfora que remete ao ato de cozinhar, tarefa destinada às mulheres.

c) a luta pela igualdade entre os gêneros depende da ascensão financeira e social das mulheres.

d) a cama, como sua "alvura e enxovais", é um símbolo da fragilidade feminina no espaço doméstico.

e) os papéis sociais destinados aos gêneros produzem efeitos e graus de autorrealização desiguais.

C5-H15

7. **(SM)** Na estrofe abaixo, que conclui o *Auto da barca do Inferno*, de Gil Vicente, o Anjo se dirige a quatro cavaleiros da Ordem de Cristo:

> ANJO: Ó cavaleiros de Deus,
> A vós estou esperando;
> Que morrestes pelejando
> Por Cristo, Senhor dos céus.
> Sois livres de todo o mal,
> Santos por certo sem falha;
> Que quem morre em tal batalha
> Merece paz eternal.

Gil Vicente. *Obras*. Porto: Lello & Irmão, 1965. p. 247.

Da leitura do texto acima, depreende-se que são prestigiados valores:

a) ateus, já que a religiosidade é algo secundário, sem ter valor efetivo para a personagem.

b) cristãos, como se evidencia nos versos "Que morrestes pelejando/ Por Cristo, Senhor dos céus".

c) judaicos, como fica evidente quando o anjo afirma "Ó cavaleiros de Deus,/ A vós estou esperando".

d) islâmicos, embora a passagem seja uma defesa do cristianismo.

e) budistas, expressos na ideia de paz eterna, mencionada no último verso.

C4-H12

8. (Enem)

Gênero dramático é aquele em que o artista usa como intermediária entre si e o público a representação. A palavra vem do grego *drao* (fazer) e quer dizer ação. A peça teatral é, pois, uma composição literária destinada à apresentação por atores em um palco, atuando e dialogando entre si. O texto dramático é complementado pela atuação dos atores no espetáculo teatral e possui uma estrutura específica, caracterizada: 1) pela presença de personagens que devem estar ligados com lógica uns aos outros e à ação; 2) pela ação dramática (trama, enredo), que é o conjunto de atos dramáticos, maneiras de ser e de agir das personagens encadeadas à unidade do efeito e segundo uma ordem composta de exposição, conflito, complicação, clímax e desfecho; 3) pela situação ou ambiente, que é o conjunto de circunstâncias físicas, sociais, espirituais em que se situa a ação; 4) pelo tema, ou seja, a ideia que o autor (dramaturgo) deseja expor, ou sua interpretação real por meio da representação.

COUTINHO, A. *Notas de teoria literária.* Rio de Janeiro: Civilização Brasileira, 1973 (adaptado).

Considerando o texto e analisando os elementos que constituem um espetáculo teatral, conclui-se que:

a) a criação do espetáculo teatral apresenta-se como um fenômeno de ordem individual, pois não é possível sua concepção de forma coletiva.

b) o cenário onde se desenrola a ação cênica é concebido e construído pelo cenógrafo de modo autônomo e independente do tema da peça e do trabalho interpretativo dos atores.

c) o texto cênico pode originar-se dos mais variados gêneros textuais, como contos, lendas, romances, poesias, crônicas, notícias, imagens e fragmentos textuais, entre outros.

d) o corpo do ator na cena tem pouca importância na comunicação teatral, visto que o mais importante é a expressão verbal, base da comunicação cênica em toda a trajetória do teatro até os dias atuais.

e) a iluminação e o som de um espetáculo cênico independem do processo de produção/recepção do espetáculo teatral, já que se trata de linguagens artísticas diferentes, agregadas posteriormente à cena teatral.

C7-H22

9. (Enem)

LXXVIII

(Camões, 1525?-1580)

Leda serenidade deleitosa,
Que representa em terra um paraíso;
Entre rubis e perlas doce riso;
Debaixo de ouro e neve cor-de-rosa;

Presença moderada e graciosa,
Onde ensinando estão despejo e siso
Que se pode por arte e por aviso,
Como por natureza, ser fermosa;

Fala de quem a morte e a vida pende,
Rara, suave; enfim, Senhora, vossa;
Repouso nela alegre e comedido:

Estas as armas são com que me rende
E me cativa Amor; mas não que possa
Despojar-me da glória de rendido.

Luís de Camões. *Obra completa*. Rio de Janeiro: Nova Aguilar, 2008.

Sanzio, R. (1483-1520). *A mulher com o unicórnio*. Roma, Galleria Borghese. Disponível em: <www.arquipelagos.pt>. Acesso em: 29 fev. 2012.

A pintura e o poema, embora sendo produtos de duas linguagens artísticas diferentes, participaram do mesmo contexto social e cultural de produção pelo fato de ambos:

a) apresentarem um retrato realista, evidenciado pelo unicórnio presente na pintura e pelos adjetivos usados no poema.

b) valorizarem o excesso de enfeites na apresentação pessoal e na variação de atitudes da mulher, evidenciadas pelos adjetivos do poema.

c) apresentarem um retrato ideal de mulher marcado pela sobriedade e o equilíbrio, evidenciados pela postura, expressão e vestimenta da moça e os adjetivos usados no poema.

d) desprezarem o conceito medieval da idealização da mulher como base da produção artística, evidenciado pelos adjetivos usados no poema.

e) apresentarem um retrato ideal de mulher marcado pela emotividade e o conflito interior, evidenciados pela expressão da moça e pelos adjetivos do poema.

C7-H22

10. (Enem)

Texto I

Andaram na praia, quando saímos, oito ou dez deles; e daí a pouco começaram a vir mais. E parece-me que viriam, este dia, à praia, quatrocentos ou quatrocentos e cinquenta. Alguns deles traziam arcos e flechas, que todos trocaram por carapuças ou por qualquer coisa que lhes davam. [...] Andavam todos tão bem-dispostos, tão bem feitos e galantes com suas tinturas que muito agradavam.

SILVIO CASTRO. *A carta de Pero Vaz de Caminha*. Porto Alegre: L&PM, 1996 (fragmento).

Texto II

PORTINARI, C. *O descobrimento do Brasil*. 1956. Óleo sobre tela, 199 cm × 169 cm. Disponível em: <www.portinari.org.br>. Acesso em: 12 jun. 2013.

Pertencentes ao patrimônio cultural brasileiro, a carta de Pero Vaz de Caminha e a obra de Portinari retratam a chegada dos portugueses ao Brasil. Da leitura dos textos, constata-se que:

a) a carta de Pero Vaz de Caminha representa uma das primeiras manifestações artísticas dos portugueses em terras brasileiras e preocupa-se apenas com a estética literária.

b) a tela de Portinari retrata indígenas nus com corpos pintados, cuja grande significação é a afirmação da arte acadêmica brasileira e a contestação de uma linguagem moderna.

c) a carta, como testemunho histórico-político, mostra o olhar do colonizador sobre a gente da terra, e a pintura destaca, em primeiro plano, a inquietação dos nativos.

d) as duas produções, embora usem linguagens diferentes – verbal e não verbal –, cumprem a mesma função social e artística.

e) a pintura e a carta de Caminha são manifestações de grupos étnicos diferentes, produzidas em um mesmo momento histórico, retratando a colonização.

C5-H15

11. (Enem)

> Em um engenho sois imitadores de Cristo crucificado porque padeceis em um modo muito semelhante o que o mesmo Senhor padeceu na sua cruz e em toda a sua paixão. A sua cruz foi composta de dois madeiros, e a vossa em um engenho é de três. Também ali não faltaram as canas, porque duas vezes entraram na Paixão: uma vez servindo para o cetro de escárnio, e outra vez para a esponja em que lhe deram o fel. A Paixão de Cristo parte foi de noite sem dormir, parte foi de dia sem descansar, e tais são as vossas noites e os vossos dias. Cristo despido, e vós despidos; Cristo sem comer, e vós famintos; Cristo em tudo maltratado, e vós maltratados em tudo. Os ferros, as prisões, os açoites, as chagas, os nomes afrontosos, de tudo isto se compõe a vossa imitação, que, se for acompanhada de paciência, também terá merecimento de martírio.
>
> ANTÔNIO VIEIRA. *Sermões*. Porto: Lello & Irmão, 1951. t. XI (adaptado).

O trecho do sermão do Padre Antônio Vieira estabelece uma relação entre a Paixão de Cristo e:

a) a atividade dos comerciantes de açúcar nos portos brasileiros.

b) a função dos mestres de açúcar durante a safra de cana.

c) o sofrimento dos jesuítas na conversão dos ameríndios.

d) o papel dos senhores na administração dos engenhos.

e) o trabalho dos escravos na produção de açúcar.

C4-H12

12. (Enem)

BARDI, P. M. *Em torno da escultura no Brasil*. São Paulo: Banco Sudameris Brasil, 1989.

Com contornos assimétricos, riqueza de detalhes nas vestes e nas feições, a escultura barroca no Brasil tem forte influência do rococó europeu e está representada aqui por um dos profetas do pátio do Santuário do Bom Jesus de Matosinho, em Congonhas (MG), esculpido em pedra-sabão por Aleijadinho. Profundamente religiosa, sua obra revela:

a) liberdade, representando a vida de mineiros à procura da salvação.

b) credibilidade, atendendo a encomendas dos nobres de Minas Gerais.

c) simplicidade, demonstrando compromisso com a contemplação do divino.

d) personalidade, modelando uma imagem sacra com feições populares.

e) singularidade, esculpindo personalidades do reinado nas obras divinas.

C5-H15

13. (Enem)

> Quando Deus redimiu da tirania
> Da mão do Faraó endurecido
> O Povo Hebreu amado, e esclarecido,
> Páscoa ficou da redenção o dia.
>
> Páscoa de flores, dia de alegria
> Àquele Povo foi tão afligido
> O dia, em que por Deus foi redimido;
> Ergo sois vós, Senhor, Deus da Bahia.
>
> Pois mandado pela alta Majestade
> Nos remiu de tão triste cativeiro,
> Nos livrou de tão vil calamidade.
>
> Quem pode ser senão um verdadeiro
> Deus, que veio estirpar desta cidade
> O Faraó do povo brasileiro.

GREGÓRIO DE MATOS. DAMASCENO, D. (Org.). *Melhores poemas*: Gregório de Matos. São Paulo: Globo, 2006.

Com uma elaboração de linguagem e uma visão de mundo que apresentam princípios barrocos, o soneto de Gregório de Matos apresenta temática expressa por:

a) visão cética sobre as relações sociais.
b) preocupação com a identidade brasileira.
c) crítica velada à forma de governo vigente.
d) reflexão sobre os dogmas do cristianismo.
e) questionamento das práticas pagãs na Bahia.

C5-H15

14. (Enem)

> 1 Torno a ver-vos, ó montes; o destino
>   Aqui me torna a pôr nestes outeiros,
>   Onde um tempo os gabões deixei grosseiros
> 4 Pelo traje da Corte, rico e fino.
>
>   Aqui estou entre Almendro, entre Corino,
>   Os meus fiéis, meus doces companheiros,
> 7 Vendo correr os míseros vaqueiros
>   Atrás de seu cansado desatino.

Se o bem desta choupana pode tanto,
10 Que chega a ter mais preço, e mais valia
Que, da Cidade, o lisonjeiro encanto,

Aqui descanse a louca fantasia,
E o que até agora se tornava em pranto
Se converta em afetos de alegria.

CLÁUDIO MANOEL DA COSTA. In: PROENÇA FILHO, Domício. *A poesia dos inconfidentes*. Rio de Janeiro: Nova Aguilar, 2002. p. 78-79.

Considerando o soneto de Cláudio Manoel da Costa e os elementos constitutivos do Arcadismo brasileiro, assinale a opção correta acerca da relação entre o poema e o momento histórico de sua produção.

a) Os "montes" e "outeiros", mencionados na primeira estrofe, são imagens relacionadas à Metrópole, ou seja, ao lugar onde o poeta se vestiu com traje "rico e fino".

b) A oposição entre a Colônia e a Metrópole, como núcleo do poema, revela uma contradição vivenciada pelo poeta, dividido entre a civilidade do mundo urbano da Metrópole e a rusticidade da terra da Colônia.

c) O bucolismo presente nas imagens do poema é elemento estético do Arcadismo que evidencia a preocupação do poeta árcade em realizar uma representação literária realista da vida nacional.

d) A relação de vantagem da "choupana" sobre a "Cidade", na terceira estrofe, é formulação literária que reproduz a condição histórica paradoxalmente vantajosa da Colônia sobre a Metrópole.

e) A realidade de atraso social, político e econômico do Brasil Colônia está representada esteticamente no poema pela referência, na última estrofe, à transformação do pranto em alegria.

C6-H1

15. (Enem)
Assinale a opção que apresenta um verso do soneto [acima] de Cláudio Manoel da Costa em que o poeta se dirige ao seu interlocutor.

a) "Torno a ver-vos, ó montes; o destino" (v. 1)
b) "Aqui estou entre Almendro, entre Corino," (v. 5)
c) "Os meus fiéis, meus doces companheiros," (v. 6)
d) "Vendo correr os míseros vaqueiros" (v. 7)
e) "Que, da Cidade, o lisonjeiro encanto," (v. 11)

C5-H15

16. (SM) O nacionalismo é um importante elemento da literatura romântica. Nas alternativas abaixo, há estrofes de famosos poetas românticos brasileiros. Assinale aquela em que é mais evidente a presença de valores nacionalistas.

a) Minha terra tem palmeiras,
   Onde canta o Sabiá;
   As aves, que aqui gorjeiam,
   Não gorjeiam como lá.

   Nosso céu tem mais estrelas,
   Nossas várzeas têm mais flores,
   Nossos bosques têm mais vida,
   Nossa vida mais amores.
   GONÇALVES DIAS

b) Se eu morresse amanhã, viria ao menos
   Fechar meus olhos minha triste irmã;
   Minha mãe de saudades morreria,
   Se eu morresse amanhã!
   ÁLVARES DE AZEVEDO

c) Oh! que saudades que tenho
   Da aurora da minha vida,
   Da minha infância querida
   Que os anos não trazem mais!
   Que amor, que sonhos, que flores,
   Naquelas tardes fagueiras
   À sombra das bananeiras,
   Debaixo dos laranjais!
   CASIMIRO DE ABREU

d) Não, não é louco. O espírito somente
   É que quebrou-lhe um elo da matéria.
   Pensa melhor que vós, pensa mais livre,
   Aproxima-se mais à essência etérea.
   JUNQUEIRA FREIRE

e) Era um sonho dantesco... O tombadilho
   Que das luzernas avermelha o brilho,
   Em sangue a se banhar.

Tinir de ferros... estalar do açoite...
Legiões de homens negros como a noite,
   Horrendos a dançar...

Castro Alves

C5-H15

17. (Enem)

O canto do guerreiro

Aqui na floresta
Dos ventos batida,
Façanhas de bravos
Não geram escravos,
Que estimem a vida
Sem guerra e lidar.
– Ouvi-me, Guerreiros,
– Ouvi meu cantar.

Valente na guerra,
Quem há, como eu sou?
Quem vibra o tacape
Com mais valentia?
Quem golpes daria
Fatais, como eu dou?
– Guerreiros, ouvi-me;
– Quem há, como eu sou?

Gonçalves Dias

Macunaíma

(Epílogo)

Acabou-se a história e morreu a vitória.

Não havia mais ninguém lá. Dera tangolomângolo na tribo Tapanhumas e os filhos dela se acabaram de um em um. Não havia mais ninguém lá. Aqueles lugares, aqueles campos, furos puxadouros arrastadouros meios-barrancos, aqueles matos misteriosos, tudo era solidão do deserto... Um silêncio imenso dormia à beira do rio Uraricoera. Nenhum conhecido sobre a terra não sabia nem falar da tribo nem contar aqueles casos tão pançudos. Quem podia saber do Herói?

Mário de Andrade

A leitura comparativa dos dois textos indica que:

a) ambos têm como tema a figura do indígena brasileiro apresentada de forma realista e heroica, como símbolo máximo do nacionalismo romântico.

b) a abordagem da temática adotada no texto escrito em versos é discriminatória em relação aos povos indígenas do Brasil.

c) as perguntas "– Quem há, como eu sou?" (1º texto) e "Quem podia saber do Herói?" (2º texto) expressam diferentes visões da realidade indígena brasileira.

d) o texto romântico, assim como o modernista, aborda o extermínio dos povos indígenas como resultado do processo de colonização no Brasil.

e) os versos em primeira pessoa revelam que os indígenas podiam expressar-se poeticamente, mas foram silenciados pela colonização, como demonstra a presença do narrador, no segundo texto.

C5-H15

18. (Enem)

Considerando-se a linguagem desses dois textos [da questão anterior], verifica-se que:

a) a função da linguagem centrada no receptor está ausente tanto no primeiro quanto no segundo texto.

b) a linguagem utilizada no primeiro texto é coloquial, enquanto, no segundo, predomina a linguagem formal.

c) há, em cada um dos textos, a utilização de pelo menos uma palavra de origem indígena.

d) a função da linguagem, no primeiro texto, centra-se na forma de organização da linguagem e, no segundo, no relato de informações reais.

e) a função da linguagem centrada na primeira pessoa, predominante no segundo texto, está ausente no primeiro.

C5-H17

19. (Enem)

Soneto

Já da morte o palor me cobre o rosto,
Nos lábios meus o alento desfalece,
Surda agonia o coração fenece,
E devora meu ser mortal desgosto!

Do leito embalde no macio encosto
Tento o sono reter!... já esmorece
O corpo exausto que o repouso esquece...
Eis o estado em que a mágoa me tem posto!

O adeus, o teu adeus, minha saudade,
Fazem que insano do viver me prive
E tenha os olhos meus na escuridade.

Dá-me a esperança com que o ser mantive!
Volve ao amante os olhos por piedade,
Olhos por quem viveu quem já não vive!

ÁLVARES DE AZEVEDO. *Obra completa*. Rio de Janeiro: Nova Aguilar, 2000.

O núcleo temático do soneto citado é típico da segunda geração romântica, porém configura um lirismo que o projeta para além desse momento específico. O fundamento desse lirismo é:

a) a angústia alimentada pela constatação da irreversibilidade da morte.
b) a melancolia que frustra a possibilidade de reação diante da perda.
c) o descontrole das emoções provocado pela autopiedade.
d) o desejo de morrer como alívio para a desilusão amorosa.
e) o gosto pela escuridão como solução para o sofrimento.

C5-H16

20. (Enem)

FABIANA, *arrepelando-se de raiva* –Hum! Ora, eis aí está para que se casou meu filho, e trouxe a mulher para minha casa. É isto constantemente. Não sabe o senhor meu filho que quem casa quer casa... Já não posso, não posso, não posso! *(Batendo com o pé)*. Um dia arrebento, e então veremos!

MARTINS PENA. *Quem casa quer casa*. Disponível em: <www.dominiopublico.gov.br>. Acesso em: 7 dez. 2012.

As rubricas em itálico, como as trazidas no trecho de Martins Pena, em uma atuação teatral, constituem:

a) necessidade, porque as encenações precisam ser fiéis às diretrizes do autor.
b) possibilidade, porque o texto pode ser mudado, assim como outros elementos.

c) preciosismo, porque são irrelevantes para o texto ou para a encenação.

d) exigência, porque elas determinam as características do texto teatral.

e) imposição, porque elas anulam a autonomia do diretor.

C6-H18

21. (Enem)

O trecho a seguir é parte do poema *Mocidade e morte*, do poeta romântico Castro Alves:

> Oh! eu quero viver, beber perfumes
> Na flor silvestre, que embalsama os ares;
> Ver minh'alma adejar pelo infinito,
> Qual branca vela n'amplidão dos mares.
> No seio da mulher há tanto aroma...
> Nos seus beijos de fogo há tanta vida...
> – Árabe errante, vou dormir à tarde
> À sombra fresca da palmeira erguida.
>
> Mas uma voz responde-me sombria:
> Terás o sono sob a lájea fria.

CASTRO ALVES. *Os melhores poemas de Castro Alves*. Sel. Lêdo Ivo. São Paulo: Global, 1983.

Esse poema, como o próprio título sugere, aborda o inconformismo do poeta com a antevisão da morte prematura, ainda na juventude. A imagem da morte aparece na palavra:

a) embalsama.

b) infinito.

c) amplidão.

d) dormir.

e) sono.

C5-H15

22. (Enem)

> Quincas Borba mal podia encobrir a satisfação do triunfo. Tinha uma asa de frango no prato, e trincava-a com filosófica serenidade. Eu fiz-lhe ainda algumas objeções, mas tão frouxas, que ele não gastou muito tempo em destruí-las.
>
> – Para entender bem o meu sistema, concluiu ele, importa não esquecer nunca o princípio universal, repartido e resumido em cada homem. Olha: a guerra, que parece

uma calamidade, é uma operação conveniente, como se disséssemos o estalar dos dedos de Humanitas; a fome (e ele chupava filosoficamente a asa do frango), a fome é uma prova a que a Humanitas submete a própria víscera. Mas eu não quero outro documento da sublimidade do meu sistema, senão este mesmo frango. Nutriu-se de milho, que foi plantado por um africano, suponhamos, importado de Angola. Nasceu esse africano, cresceu, foi vendido; um navio o trouxe, um navio construído de madeira cortada no mato por dez ou doze homens, levado por velas, que oito ou dez homens teceram, sem contar a cordoalha e outras partes do aparelho náutico. Assim, este frango, que eu almocei agora mesmo, é o resultado de uma multidão de esforços e lutas, executadas com o único fim de dar mate ao meu apetite.

MACHADO DE ASSIS. *Memórias póstumas de Brás Cubas*. Rio de Janeiro: Civilização Brasiliense, 1975.

A filosofia de Quincas Borba – a Humanitas – contém princípios que, conforme a explanação do personagem, consideram a cooperação entre as pessoas uma forma de:

a) lutar pelo bem da coletividade.
b) atender a interesses pessoais.
c) erradicar a desigualdade social.
d) minimizar as diferenças individuais.
e) estabelecer vínculos sociais profundos.

C5-H16

23. (Enem)

Capítulo III

Um criado trouxe o café. Rubião pegou na xícara e, enquanto lhe deitava açúcar, ia disfarçadamente mirando a bandeja, que era de prata lavrada. Prata, ouro, eram os metais que amava de coração; não gostava de bronze, mas o amigo Palha disse-lhe que era matéria de preço, e assim se explica este par de figuras que aqui está na sala: um *Mefistófeles* e um *Fausto*. Tivesse, porém, de escolher, escolheria a bandeja, – primor de argentaria, execução fina e acabada. O criado esperava teso e sério. Era espanhol; e não foi sem resistência que Rubião o aceitou das mãos de Cristiano; por mais que lhe dissesse que estava acostumado aos seus crioulos de Minas, e não queria línguas estrangeiras em casa, o amigo Palha insistiu, demonstrando-lhe a necessidade de ter criados brancos. Rubião cedeu com pena. O seu bom pajem, que ele queria por na sala, como um pedaço da província, nem o pode deixar na cozinha, onde reinava um francês, Jean; foi degradado a outros serviços.

MACHADO DE ASSIS. Quincas Borba. In: *Obra completa*. Rio de Janeiro: Nova Aguilar, 1993. v. 1 (fragmento).

Quincas Borba situa-se entre as obras-primas do autor e da literatura brasileira. No fragmento apresentado, a peculiaridade do texto que garante a universalização de sua abordagem reside:

a) no conflito entre o passado pobre e o presente rico, que simboliza o triunfo da aparência sobre a essência.

b) no sentimento de nostalgia do passado devido à substituição da mão de obra escrava pela dos imigrantes.

c) na referência a Fausto e Mefistófeles, que representam o desejo de eternização de Rubião.

d) na admiração dos metais por parte de Rubião, que metaforicamente representam a durabilidade dos bens produzidos pelo trabalho.

e) na resistência de Rubião aos criados estrangeiros, que reproduz o sentimento de xenofobia.

C5-H15

24. (SM) O trecho abaixo é de uma crônica publicada dias após a abolição da escravidão, em 1888. Machado de Assis inventa um narrador hipotético, que teria se antecipado ao 13 de maio, libertando seu escravo antes da emancipação geral:

[...] toda a história desta lei de 13 de maio estava por mim prevista, tanto que na segunda-feira, [...] tratei de alforriar um molecote que tinha, pessoa dos seus dezoito anos, mais ou menos. [...] chamei o Pancrácio e disse-lhe com rara franqueza:

— Tu és livre, podes ir para onde quiseres. Aqui tens casa amiga, já conhecida e tens mais um ordenado, um ordenado que...

— Oh! meu senhô! fico.

— ... Um ordenado pequeno, mas que há de crescer. [...]

— Artura não qué dizê nada, não, senhô...

— Pequeno ordenado, repito, uns seis mil-réis*, mas é de grão em grão que a galinha enche o papo. Tu vales muito mais que uma galinha.

— Eu vaio um galo, sim, senhô.

Pancrácio aceitou tudo; aceitou até um peteleco que lhe dei no dia seguinte, por me não escovar bem as botas; efeitos da liberdade. [...] Tudo compreendeu meu bom

Pancrácio; daí para cá, tenho-lhe despedido alguns pontapés, um ou outro puxão de orelhas, e chamo-lhe besta quando lhe não chamo filho do diabo [...]

* *segundo nota de John Gledson, esse valor correspondia ao preço de duas camisas.*

MACHADO DE ASSIS. *Bons dias! & notas semanais.* São Paulo: Globo, 1997. p. 12-13 (Coleção Obras Completas).

Machado retrata a abolição como um processo que:

a) havia sido concluído com êxito; os ex-escravos estavam efetivamente livres das coações sofridas anteriormente.

b) poderia não alterar completamente a situação dos ex--escravos.

c) tornava os trabalhadores ainda mais indolentes do que o habitual.

d) privou de mão de obra os proprietários.

e) estimulava o crescimento da violência sofrida pelos trabalhadores.

C5-H16

25. (Enem)

No trecho abaixo, o narrador, ao descrever a personagem, critica sutilmente um outro **estilo de época: o romantismo.**

> Naquele tempo contava apenas uns quinze ou dezesseis anos; era talvez a mais atrevida criatura da nossa raça, e, com certeza, a mais voluntariosa. Não digo que já lhe coubesse a primazia da beleza, entre as mocinhas do tempo, porque isto não é romance, em que o autor sobredoura a realidade e fecha os olhos às sardas e espinhas; mas também não digo que lhe maculasse o rosto nenhuma sarda ou espinha, não. Era bonita, fresca, saía das mãos da natureza, cheia daquele feitiço, precário e eterno, que o indivíduo passa a outro indivíduo, para os fins secretos da criação.

MACHADO DE ASSIS. *Memórias póstumas de Brás Cubas.*
Rio de Janeiro: Jackson, 1957.

A frase do texto em que se percebe a crítica do narrador ao romantismo está transcrita na alternativa:

a) ... o autor sobredoura a realidade e fecha os olhos às sardas e espinhas...

b) ... era talvez a mais atrevida criatura da nossa raça...

c) Era bonita, fresca, saía das mãos da natureza, cheia daquele feitiço, precário e eterno,...

d) Naquele tempo contava apenas uns quinze ou dezesseis anos...

e) ... o indivíduo passa a outro indivíduo, para os fins secretos da criação.

C7-H22

26. (Enem)

Leia o texto e examine a ilustração:

Óbito do autor

[....] expirei às duas horas da tarde de uma sexta-feira do mês de agosto de 1869, na minha bela chácara de Catumbi. Tinha uns sessenta e quatro anos, rijos e prósperos, era solteiro, possuía cerca de trezentos contos e fui acompanhado ao cemitério por onze amigos. Onze amigos! Verdade é que não houve cartas nem anúncios. Acresce que chovia – peneirava – uma chuvinha miúda, triste e constante, tão constante e tão triste, que levou um daqueles fiéis da última hora a intercalar esta engenhosa ideia no discurso que proferiu à beira de minha cova: – "Vós, que o conhecestes, meus senhores, vós podeis dizer comigo que a natureza parece estar chorando a perda irreparável de um dos mais belos caracteres que tem honrado a humanidade. Este ar sombrio, estas gotas do céu, aquelas nuvens escuras que cobrem o azul como um crepe funéreo, tudo isto é a dor crua e má que lhe rói à natureza as mais íntimas entranhas; tudo isso é um sublime louvor ao nosso ilustre finado." [....]

Adaptado. MACHADO DE ASSIS. *Memórias póstumas de Brás Cubas*. Ilustrado por Cândido Portinari. Rio de Janeiro: Cem Bibliófilos do Brasil, 1943. p. 1.

Compare o texto de Machado de Assis com a ilustração de Portinari. É correto afirmar que a ilustração do pintor:

a) apresenta detalhes ausentes na cena descrita no texto verbal.

b) retrata fielmente a cena descrita por Machado de Assis.

c) distorce a cena descrita no romance.

d) expressa um sentimento inadequado à situação.

e) contraria o que descreve Machado de Assis.

C5-H16

27. (Enem)

Capítulo LIV

A pêndula

Saí dali a saborear o beijo. Não pude dormir; estirei-me na cama, é certo, mas foi o mesmo que nada. Ouvi as horas todas da noite. Usualmente, quando eu perdia o sono, o bater da pêndula fazia-me muito mal; esse tique-taque soturno, vagaroso e seco parecia dizer a cada golpe que eu ia ter um instante menos de vida. Imaginava então um velho diabo, sentado entre dois sacos, o da vida e o da morte, e a contá-las assim:

– Outra de menos...

– Outra de menos...

– Outra de menos...

– Outra de menos...

O mais singular é que, se o relógio parava, eu dava-lhe corda, para que ele não deixasse de bater nunca, e eu pudesse contar todos os meus instantes perdidos. Invenções há, que se transformam ou acabam; as mesmas instituições morrem; o relógio é definitivo e perpétuo. O derradeiro homem, ao despedir-se do sol frio e gasto, há de ter um relógio na algibeira, para saber a hora exata em que morre.

Naquela noite não padeci essa triste sensação de enfado, mas outra, e deleitosa. As fantasias tumultuavam-me cá dentro, vinham umas sobre outras, à semelhança de devotas que se abalroam para ver o anjo-cantor das procissões. Não ouvia os instantes perdidos, mas os minutos ganhos.

MACHADO DE ASSIS. *Memórias póstumas de Brás Cubas*.
Rio de Janeiro: Nova Aguilar, 1992 (fragmento).

O capítulo apresenta o instante em que Brás Cubas revive a sensação do beijo trocado com Virgília, casada com Lobo Neves. Nesse contexto, a metáfora do relógio desconstrói certos paradigmas românticos, porque:

a) o narrador e Virgília não têm percepção do tempo em seus encontros adúlteros.

b) como "defunto autor", Brás Cubas reconhece a inutilidade de tentar acompanhar o fluxo do tempo.

c) na contagem das horas, o narrador metaforiza o desejo de triunfar e acumular riquezas.

d) o relógio representa a materialização do tempo e redireciona o comportamento idealista de Brás Cubas.

e) o narrador compara a duração do sabor do beijo à perpetuidade do relógio.

C5-H15

28. (Enem)

Talvez pareça excessivo o escrúpulo do Cotrim, a quem não souber que ele possuía um caráter ferozmente honrado. Eu mesmo fui injusto com ele durante os anos que se seguiram ao inventário de meu pai. Reconheço que era um modelo. Arguíam-no de avareza, e cuido que tinham razão; mas a avareza é apenas a exageração de uma virtude, e as virtudes devem ser como os orçamentos: melhor é o saldo que o déficit. Como era muito seco de maneiras, tinha inimigos que chegavam a acusá-lo de bárbaro. O único fato alegado neste particular era o de mandar com frequência escravos ao calabouço, donde eles desciam a escorrer sangue; mas, além de que ele só mandava os perversos e os fujões, ocorre que, tendo longamente contrabandeado em escravos, habituara-se de certo modo ao trato um pouco mais duro que esse gênero de negócio requeria, e não se pode honestamente atribuir à índole original de um homem o que é puro efeito de relações sociais. A prova de que o Cotrim tinha sentimentos pios encontrava-se no seu amor aos filhos, e na dor que padeceu quando morreu Sara, dali a alguns meses; prova irrefutável, acho eu, e não única. Era tesoureiro de uma confraria, e irmão de várias irmandades, e até irmão remido de uma destas, o que não se coaduna muito com a reputação da avareza; verdade é que o benefício não caíra no chão: a irmandade (de que ele fora juiz) mandara-lhe tirar o retrato a óleo.

MACHADO DE ASSIS. *Memórias póstumas de Brás Cubas*. Rio de Janeiro: Nova Aguilar, 1992.

Obra que inaugura o Realismo na literatura brasileira, *Memórias póstumas de Brás Cubas* condensa uma expressividade que caracterizaria o estilo machadiano: a ironia. Descrevendo a moral de seu cunhado, Cotrim, o narrador-personagem Brás Cubas refina a percepção irônica ao:

a) acusar o cunhado de ser avarento para confessar-se injustiçado na divisão da herança paterna.

b) atribuir a "efeito de relações sociais" a naturalidade com que Cotrim prendia e torturava os escravos.

c) considerar os "sentimentos pios" demonstrados pelo personagem quando da perda da filha Sara.

d) menosprezar Cotrim por ser tesoureiro de uma confraria e membro remido de várias irmandades.

e) insinuar que o cunhado era um homem vaidoso e egocêntrico, contemplado com um retrato a óleo.

C7-H22

29. (SM) Leia o texto:

> De noite fui ao teatro. Representava-se justamente *Otelo*, que eu não vira nem lera nunca; sabia apenas o assunto, e estimei a coincidência. Vi as grandes raivas do mouro, por causa de um lenço – um simples lenço! –, e aqui dou matéria à meditação dos psicólogos deste e de outros continentes, pois não me pude furtar à observação de que um lenço bastou a acender os ciúmes de Otelo e compor a mais sublime tragédia deste mundo. Os lenços perderam-se, hoje são precisos os próprios lençóis; alguma vez nem lençóis há, e valem só as camisas. Tais eram as ideias que me iam passando pela cabeça, vagas e turvas, à medida que o mouro rolava convulso, e Iago destilava a sua calúnia. [...] O último ato mostrou-me que não eu, mas Capitu devia morrer. Ouvi as súplicas de Desdêmona, as suas palavras amorosas e puras, e a fúria do mouro, e a morte que este lhe deu entre aplausos frenéticos do público.
>
> – E era inocente – vinha eu dizendo rua abaixo –; que faria o público, se ela deveras fosse culpada, tão culpada como Capitu?

MACHADO DE ASSIS. *Dom Casmurro*. São Paulo: Ática, 2006. p. 170-171 (Série Bom Livro).

No trecho acima, do romance *Dom Casmurro*, Machado de Assis estabelece intertextualidade com a tragédia *Otelo*, de William Shakespeare. Releia o trecho e assinale a alternativa que aponta um dos elementos comuns às obras de Shakespeare e Machado:

a) as duas obras apresentam adultérios cometidos com a conivência da sociedade, que ajuda o casal adúltero a manter ocultos seus encontros.

b) ambos os protagonistas, Otelo e Bento Santiago, consideram-se vítimas de adultério.

c) nas duas narrativas, um lenço, perdido por acaso pelas heroínas, desempenha papel fundamental para a precipitação do desfecho.

d) Iago e Pádua desempenham, nas respectivas obras, o papel de maledicentes que despertam o ciúme de seus amos.

e) as protagonistas da história, Capitu e Desdêmona, traíram seus maridos, no entanto, não podemos considerar que as punições são justas, já que elas têm o direito de amar quem bem entendem.

C5-H16

30. (Enem)

> Abatidos pelo fadinho harmonioso e nostálgico dos desterrados, iam todos, até mesmo os brasileiros, se concentrando e caindo em tristeza; mas, de repente, o cavaquinho de Porfiro, acompanhado pelo violão do Firmo, romperam vibrantemente com um chorado baiano. Nada mais que os primeiros acordes da música crioula para que o sangue de toda aquela gente despertasse logo, como se alguém lhe fustigasse o corpo com urtigas bravas. E seguiram-se outras notas, e outras, cada vez mais ardentes e mais delirantes. Já não eram dois instrumentos que soavam, eram lúbricos gemidos e suspiros soltos em torrente, a correrem serpenteando, como cobras numa floresta incendiada; eram ais convulsos, chorados em frenesi de amor: música feita de beijos e soluços gostosos; carícia de fera, carícia de doer, fazendo estalar de gozo.
>
> ALUÍSIO AZEVEDO. *O cortiço*. São Paulo: Ática, 1983 (fragmento).

No romance *O cortiço* (1890), de Aluísio Azevedo, as personagens são observadas como elementos coletivos caracterizados por condicionantes de origem social, sexo e etnia. Na passagem transcrita, o confronto entre brasileiros e portugueses revela prevalência do elemento brasileiro, pois:

a) destaca o nome de personagens brasileiras e omite o de personagens portuguesas.

b) exalta a força do cenário natural brasileiro e considera o do português inexpressivo.

c) mostra o poder envolvente da música brasileira, que cala o fado português.

d) destaca o sentimentalismo brasileiro, contrário à tristeza dos portugueses.

e) atribui aos brasileiros uma habilidade maior com instrumentos musicais.

C5-H16

31. (Enem)

Mal secreto

Se a cólera que espuma, a dor que mora
N'alma, e destrói cada ilusão que nasce,
Tudo o que punge, tudo o que devora
O coração, no rosto se estampasse;

Se se pudesse, o espírito que chora,
Ver através da máscara da face,
Quanta gente, talvez, que inveja agora
Nos causa, então piedade nos causasse!

Quanta gente que ri, talvez, consigo
Guarda um atroz, recôndito inimigo,
Como invisível chaga cancerosa!

Quanta gente que ri, talvez existe,
Cuja ventura única consiste
Em parecer aos outros venturosa!

RAIMUNDO CORREIA. In: PATRIOTA, M. *Para compreender Raimundo Correia*. Brasília: Alhambra, 1995.

Coerente com a proposta parnasiana de cuidado formal e racionalidade na condução temática, o soneto de Raimundo Correia reflete sobre a forma como as emoções do indivíduo são julgadas em sociedade. Na concepção do eu lírico, esse julgamento revela que:

a) a necessidade de ser socialmente aceito leva o indivíduo a agir de forma dissimulada.
b) o sofrimento íntimo torna-se mais ameno quando compartilhado por um grupo social.
c) a capacidade de perdoar e aceitar as diferenças neutraliza o sentimento de inveja.
d) o instinto de solidariedade conduz o indivíduo a apiedar-se do próximo.
e) a transfiguração da angústia em alegria é um artifício nocivo ao convívio social.

C6-H18

32. (Enem)

Epígrafe*

Murmúrio de água na clepsidra** gotejante,
Lentas gotas de som no relógio da torre,
Fio de areia na ampulheta vigilante,
Leve sombra azulando a pedra do quadrante***
Assim se escoa a hora, assim se vive e morre...

Homem, que fazes tu? Para que tanta lida,
Tão doidas ambições, tanto ódio e tanta ameaça?
Procuremos somente a Beleza, que a vida
É um punhado infantil de areia ressequida,
Um som de água ou de bronze e uma sombra que passa...

Eugênio de Castro. *Antologia pessoal da poesia portuguesa.*

A imagem contida em "lentas gotas de som" (verso 2) é retomada na segunda estrofe por meio da expressão:

a) tanta ameaça.
b) som de bronze.
c) punhado de areia.
d) sombra que passa.
e) somente a Beleza.

C6-H18

33. (Enem) Neste poema [da questão 32], o que leva o poeta a questionar determinadas ações humanas (versos 6 e 7) é a:

a) infantilidade do ser humano.
b) destruição da natureza.
c) exaltação da violência.
d) inutilidade do trabalho.
e) brevidade da vida.

(*) Epígrafe: inscrição colocada no ponto mais alto; tema.
(**) Clepsidra: relógio de água.
(***) Pedra do quadrante: parte superior de um relógio de sol.

C5-H15

34. (Enem)

Vida obscura

Ninguém sentiu o teu espasmo obscuro,
ó ser humilde entre os humildes seres,
embriagado, tonto de prazeres,
o mundo para ti foi negro e duro.

Atravessaste no silêncio escuro
a vida presa a trágicos deveres
e chegaste ao saber de altos saberes
tornando-te mais simples e mais puro.

Ninguém te viu o sentimento inquieto,
magoado, oculto e aterrador, secreto,
que o coração te apunhalou no mundo,

Mas eu que sempre te segui os passos
sei que cruz infernal prendeu-te os braços
e o teu suspiro como foi profundo!

CRUZ E SOUSA. *Obra completa.* Rio de Janeiro: Nova Aguilar, 1961.

Com uma obra densa e expressiva no Simbolismo brasileiro, Cruz e Sousa transpôs para seu lirismo uma sensibilidade em conflito com a realidade vivenciada. No soneto, essa percepção traduz-se em:

a) sofrimento tácito diante dos limites impostos pela discriminação.

b) tendência latente ao vício como resposta ao isolamento social.

c) extenuação condicionada a uma rotina de tarefas degradantes.

d) frustração amorosa canalizada para as atividades intelectuais.

e) vocação religiosa manifesta na aproximação com a fé cristã.

C5-H16

35. (Enem)

Cárcere das almas

Ah! Toda a alma num cárcere anda presa,
Soluçando nas trevas, entre as grades

Do calabouço olhando imensidades,
Mares, estrelas, tardes, natureza.

Tudo se veste de uma igual grandeza
Quando a alma entre grilhões as liberdades
Sonha e, sonhando, as imortalidades
Rasga no etéreo o Espaço da Pureza.

Ó almas presas, mudas e fechadas
Nas prisões colossais e abandonadas,
Da Dor no calabouço, atroz, funéreo!

Nesses silêncios solitários, graves,

que chaveiro do Céu possui as chaves

para abrir-vos as portas do Mistério?!

CRUZ E SOUSA. *Poesia completa*. Florianópolis: Fundação Catarinense de Cultura/Fundação Banco do Brasil, 1993.

Os elementos formais e temáticos relacionados ao contexto cultural do Simbolismo encontrados no poema *Cárcere das almas*, de Cruz e Sousa, são:

a) a opção pela abordagem, em linguagem simples e direta, de temas filosóficos.

b) a prevalência do lirismo amoroso e intimista em relação à temática nacionalista.

c) o refinamento estético da forma poética e o tratamento metafísico de temas universais.

d) a evidente preocupação do eu lírico com a realidade social expressa em imagens poéticas inovadoras.

e) a liberdade formal da estrutura poética que dispensa a rima e a métrica tradicionais em favor de temas do cotidiano.

C5-H15

36. (Enem)

Desde dezoito anos que o tal patriotismo lhe absorvia e por ele fizera a tolice de estudar inutilidades. Que lhe importavam os rios? Eram grandes? Pois que fossem... Em que lhe contribuiria para a felicidade saber o nome dos heróis do Brasil? Em nada... O importante é que ele tivesse sido feliz. Foi? Não. Lembrou-se das coisas do tupi, do folk-lore, das suas tentativas agrícolas... Restava disso tudo em sua alma uma satisfação? Nenhuma! Nenhuma!

O tupi encontrou a incredulidade geral, o riso, a mofa, o escárnio; e levou-o à loucura. Uma decepção. E a agricultura? Nada. As terras não eram ferazes e ela não era fácil como diziam os livros. Outra decepção. E, quando o seu patriotismo se fizera combatente, o que achara? Decepções. Onde estava a doçura de nossa gente? Pois ele não a viu combater como feras? Pois não a via matar prisioneiros, inúmeros? Outra decepção. A sua vida era uma decepção, uma série, melhor, um encadeamento de decepções.

A pátria que quisera ter era um mito; um fantasma criado por ele no silêncio de seu gabinete.

LIMA BARRETO. *Triste fim de Policarpo Quaresma*. Disponível em: <www.dominiopublico.gov.br>. Acesso em: 8 nov. 2011.

O romance *Triste fim de Policarpo Quaresma*, de Lima Barreto, foi publicado em 1911. No fragmento destacado, a reação do personagem aos desdobramentos de suas iniciativas patrióticas evidencia que:

a) a dedicação de Policarpo Quaresma ao conhecimento da natureza brasileira levou-o a estudar inutilidades, mas possibilitou-lhe uma visão mais ampla do país.

b) a curiosidade em relação aos heróis da pátria levou-o ao ideal de prosperidade e democracia que o personagem encontra no contexto republicano.

c) a construção de uma pátria a partir de elementos míticos, como a cordialidade do povo, a riqueza do solo e a pureza linguística, conduz à frustração ideológica.

d) a propensão do brasileiro ao riso, ao escárnio, justifica a reação de decepção e desistência de Policarpo Quaresma, que prefere resguardar-se em seu gabinete.

e) a certeza da fertilidade da terra e da produção agrícola incondicional faz parte de um projeto ideológico salvacionista, tal como foi difundido na época do autor.

C6-H18

37. (Enem)

Narizinho correu os olhos pela assistência. Não podia haver nada mais curioso. Besourinhos de fraque e flores na lapela conversavam com baratinhas de mantilha e miosótis nos cabelos. Abelhas douradas, verdes e azuis, falavam mal das vespas de cintura fina – achando que era exagero usarem coletes tão apertados. Sardinhas aos centos criticavam os cuidados excessivos que as borboletas de toucados de gaze tinham com o pó das suas asas. Mamangavas de ferrões amarrados para não morderem. E canários cantando, e beija-flores beijando flores, e camarões camaronando, e caranguejos caranguejando, tudo que é pequenino e não morde, pequeninando e não mordendo.

Monteiro Lobato. *Reinações de Narizinho*. São Paulo: Brasiliense, 1947.

No último período do trecho, há uma série de verbos no gerúndio que contribuem para caracterizar o ambiente fantástico descrito. Expressões como "camaronando", "caranguejando" e "pequeninando e não mordendo" criam, principalmente, efeitos de:

a) esvaziamento de sentido.

b) monotonia do ambiente.

c) estaticidade dos animais.

d) interrupção dos movimentos.

e) dinamicidade do cenário.

C5-H15

38. (Enem)

Negrinha

Negrinha era uma pobre órfã de sete anos. Preta? Não; fusca, mulatinha escura, de cabelos ruços e olhos assustados.

Nascera na senzala, de mãe escrava, e seus primeiros anos vivera-os pelos cantos escuros da cozinha, sobre velha esteira e trapos imundos. Sempre escondida, que a patroa não gostava de crianças.

Excelente senhora, a patroa. Gorda, rica, dona do mundo, amimada dos padres, com lugar certo na igreja e camarote de luxo reservado no céu. Entaladas as banhas no trono (uma cadeira de balanço na sala de jantar), ali bordava, recebia as amigas e o vigário, dando audiências, discutindo o tempo. Uma virtuosa senhora em suma – "dama de grandes virtudes apostólicas, esteio da religião e da moral", dizia o reverendo.

Ótima, a dona Inácia.

Mas não admitia choro de criança. Ai! Punha-lhe os nervos em carne viva.

[...]

A excelente dona Inácia era mestra na arte de judiar de crianças. Vinha da escravidão, fora senhora de escravos – e daquelas ferozes, amigas de ouvir cantar o bolo e estalar o bacalhau. Nunca se afizera ao regime novo – essa indecência de negro igual.

Monteiro Lobato. *Negrinha*. In: Moriconi, Italo. *Os cem melhores contos brasileiros do século*. Rio de Janeiro: Objetiva, 2000 (fragmento).

A narrativa focaliza um momento histórico-social de valores contraditórios. Essa contradição infere-se, no contexto, pela:

a) falta de aproximação entre a menina e a senhora, preocupada com as amigas.

b) receptividade da senhora para com os padres, mas deselegante para com as beatas.

c) ironia do padre a respeito da senhora, que era perversa com as crianças.

d) resistência da senhora em aceitar a liberdade dos negros, evidenciada no final do texto.

e) rejeição aos criados por parte da senhora, que preferia tratá-los com castigos.

C5-H16

39. (Enem)

Psicologia de um vencido

Eu, filho do carbono e do amoníaco,
Monstro de escuridão e rutilância,
Sofro, desde a epigênesis da infância,
A influência má dos signos do zodíaco.

Profundíssimamente hipocondríaco,
Este ambiente me causa repugnância...
Sobe-me à boca uma ânsia análoga à ânsia
Que se escapa da boca de um cardíaco.

Já o verme – este operário das ruínas –
Que o sangue podre das carnificinas
Come, e à vida em geral declara guerra,

Anda a espreitar meus olhos para roê-los,
E há de deixar-me apenas os cabelos,
Na frialdade inorgânica da terra!

Augusto dos Anjos. *Obra completa*. Rio de Janeiro: Nova Aguilar, 1994.

A poesia de Augusto dos Anjos revela aspectos de uma literatura de transição designada como pré-modernista. Com relação à poética e à abordagem temática presentes no soneto, identificam-se marcas dessa literatura de transição, como:

a) a forma do soneto, os versos metrificados, a presença de rimas e o vocabulário requintado, além do ceticismo, que antecipam conceitos estéticos vigentes no Modernismo.

b) o empenho do eu lírico pelo resgate da poesia simbolista, manifesta em metáforas como "Monstro de escuridão e rutilância" e "influência má dos signos do zodíaco".

c) a relação lexical emprestada do cientificismo, como se lê em "carbono e amoníaco", "epigênesis da infância" e "frialdade inorgânica", que restitui a visão naturalista do homem.

d) a manutenção de elementos formais vinculados à estética do Parnasianismo e do Simbolismo, dimensionada pela inovação na expressividade poética, e o desconcerto existencial.

e) a ênfase no processo de construção de uma poesia descritiva e ao mesmo tempo filosófica, que incorpora valores morais e científicos mais tarde renovados pelos modernistas.

C7-H22

40. (Enem)

Texto I

Eu amo a rua. Esse sentimento de natureza toda íntima não vos seria revelado por mim se não julgasse, e razões não tivesse para julgar, que este amor assim absoluto e assim exagerado é partilhado por todos vós. Nós somos irmãos, nós nos sentimos parecidos e iguais; nas cidades, nas aldeias, nos povoados, não porque soframos, com a dor e os desprazeres, a lei e a polícia, mas porque nos une, nivela e agremia o amor da rua. É este mesmo o sentimento imperturbável e indissolúvel, o único que, como a própria vida, resiste às idades e às épocas.

João do Rio. A rua. In: *A alma encantadora das ruas*. São Paulo: Companhia das Letras, 2008 (fragmento).

Texto II

A rua dava-lhe uma força de fisionomia, mais consciência dela. Como se sentia estar no seu reino, na região em que era rainha e imperatriz. O olhar cobiçoso dos homens e o de inveja das mulheres acabavam o sentimento de sua personalidade, exaltavam-no até. Dirigiu-se para a rua do Catete com o seu passo miúdo e sólido. [...] No caminho trocou cumprimento com as raparigas pobres de uma casa de cômodos da vizinhança.

[...] E debaixo dos olhares maravilhados das pobres raparigas, ela continuou o seu caminho, arrepanhando a saia, satisfeita que nem uma duquesa atravessando os seus domínios.

Lima Barreto. Um e outro. In: *Clara dos anjos*. Rio de Janeiro: Editora Mérito (fragmento).

A experiência urbana é um tema recorrente em crônicas, contos e romances do final do século XIX e início do XX, muitos dos quais elegem a rua para explorar essa experiência. Nos fragmentos I e II, a rua é vista, respectivamente, como lugar que:

a) desperta sensações contraditórias e desejo de reconhecimento.
b) favorece o cultivo da intimidade e a exposição dos dotes físicos.
c) possibilita vínculos pessoais duradouros e encontros casuais.
d) propicia o sentido de comunidade e a exibição pessoal.
e) promove o anonimato e a segregação social.

C4-H13

41. (Enem)

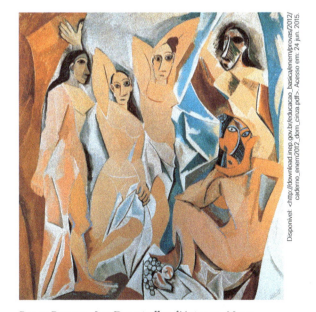

Pablo Picasso. *Les Demoiselles d'Avignon*. Nova York, 1907. In: Giulio Carlo Argan. *Arte moderna: do Iluminismo aos movimentos contemporâneos*. São Paulo: Companhia das Letras, 1992.

O quadro *Les Demoiselles d'Avignon* (1907), de Pablo Picasso, representa o rompimento com a estética clássica e a revolução da arte no início do século XX. Essa nova tendência se caracteriza pela:

a) pintura de modelos em planos irregulares.

b) mulher como temática central da obra.

c) cena representada por vários modelos.

d) oposição entre tons claros e escuros.

e) nudez explorada como objeto de arte.

C5-H16

42. (SM) Leia o poema abaixo, de Alberto Caeiro, heterônimo de Fernando Pessoa:

> O Universo não é uma ideia minha.
>
> A minha ideia do Universo é que é uma ideia minha.
>
> A noite não anoitece pelos meus olhos,
>
> A minha ideia da noite é que anoitece pelos meus olhos.
>
> Fora de eu pensar e de haver quaisquer pensamentos
>
> A noite anoitece concretamente
>
> E o fulgor das estrelas existe como se tivesse peso.

ALBERTO CAEIRO. *Obra poética*. Rio de Janeiro: Nova Aguilar, 2001. p. 238.

No poema acima, de reflexão aparentada à filosofia, o eu lírico propõe que:

a) toda a realidade é uma construção subjetiva, sem o "eu" não haveria realidade.

b) não existe realidade, existe somente uma construção individual que tratamos como realidade, como se evidencia no verso: "A minha ideia da noite é que anoitece pelos meus olhos".

c) em versos como "A noite anoitece", subjaz a mensagem de que os seres humanos são impotentes diante da realidade, uma vez que são capazes de intervir efetivamente.

d) os elementos da natureza exteriores ao homem constituem a única realidade de fato.

e) existe um mundo concreto, independente de considerações subjetivas e individuais a respeito dele.

C5-H16

43. (Enem)

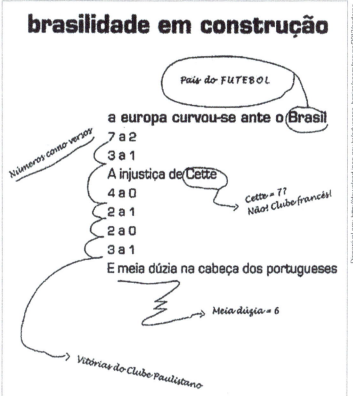

Museu da Língua Portuguesa. *Oswald de Andrade:* o culpado de tudo. 27 set. 2011 a 29 jan. 2012. São Paulo: Prol Gráfica, 2012.

O poema de Oswald de Andrade remonta à ideia de que a brasilidade está relacionada ao futebol. Quanto à questão da identidade nacional, as anotações em torno dos versos constituem:

a) direcionamentos possíveis para uma leitura crítica de dados histórico-culturais.

b) forma clássica da construção poética brasileira.

c) rejeição à ideia do Brasil como o país do futebol.

d) intervenções de um leitor estrangeiro no exercício de leitura poética.

e) lembretes de palavras tipicamente brasileiras substitutivas das originais.

C4-H13

44. (SM) Observe o quadro *Abaporu*, em tupi "homem que come gente", produzido por Tarsila do Amaral, em 1928, e atualmente exposto no Museu de Arte Latino-Americana de Buenos Aires (Malba).

Tarsila do Amaral. Coleção particular, Buenos Aires.

O quadro de Tarsila do Amaral insere-se no movimento antropofágico (primeira fase do Modernismo brasileiro):

a) por seu caráter nacionalista e ufanista, de elogio acrítico do país.
b) ao revelar influência do cubismo do pintor Pablo Picasso.
c) ao assimilar elementos estéticos das vanguardas europeias, submetendo-os a uma reelaboração crítica em função da realidade nacional.
d) ao optar pelas linhas curvas como princípio organizacional.
e) ao inserir em sua pintura o cacto, elemento da paisagem nacional que já fora valorizado na poesia modernista de Manuel Bandeira.

C5-H15

45. (SM) Leia a dedicatória do livro *Pauliceia desvairada*, de Mário de Andrade.

> **A Mário de Andrade**
> Mestre querido.
> Nas muitas horas breves que me fizestes ganhar
> a vosso lado dizíeis da vossa confiança pela arte
> livre e sincera... Não de mim, mas de vossa
> experiência recebi a coragem da minha Verdade
> e o orgulho do meu ideal.
> Permiti-me que ora vos oferte este livro que
> de vós me veio. [...]
> Mas não sei, Mestre, si me perdoareis a distância

mediada entre estes poemas e vossas altíssimas lições... Recebei no vosso perdão o esforço do escolhido por vós para único discípulo; daquele que neste momento de martírio muito a medo inda vos chama o seu Guia, o seu Mestre, o seu Senhor.

Mário de Andrade
14 de dezembro de 1921
São Paulo

MÁRIO DE ANDRADE. *Poesias completas*. São Paulo: Livraria Martins, 1966. p. 11.

Assinale a alternativa correta sobre o texto acima:

a) Embora não pareça em um primeiro momento, o uso de "Guia", "Mestre" e "Senhor" indica que Mário se dirige a seus grandes mestres, os poetas parnasianos.

b) A interpelação na segunda pessoa do plural ("vós"), forma cerimoniosa, reflete a linguagem pedante e formal do modernismo brasileiro.

c) O estilo deliberadamente formal e afetado se deve à ironia de Mário de Andrade, que pretende expressar que, na verdade, não tinha "Guia", nem "Mestre", nem "Senhor".

d) O uso de diversos coloquialismos e vulgarismos tem como objetivo caracterizar a classe social do enunciador, o próprio Mário de Andrade.

e) O trecho ilustra como o autor era contrário ao uso de expressões da variante popular da linguagem na literatura.

C7-H22

46. (Enem)

TARSILA DO AMARAL. *Operários*.

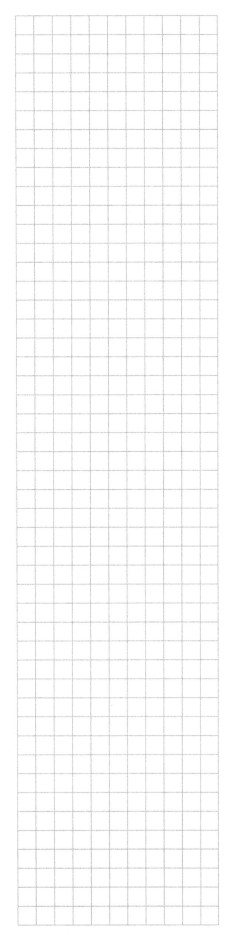

Desiguais na fisionomia, na cor e na raça, o que lhes assegura identidade peculiar, são iguais enquanto frente de trabalho. Num dos cantos, as chaminés das indústrias se alçam verticalmente. No mais, em todo o quadro, rostos colados, um ao lado do outro, em pirâmide que tende a se prolongar infinitamente, como mercadoria que se acumula, pelo quadro afora.

Nádia Gotlib. *Tarsila do Amaral, a modernista.*

O texto aponta no quadro de Tarsila do Amaral um tema que também se encontra nos versos transcritos em:

a) "Pensem nas meninas
   Cegas inexatas
   Pensem nas mulheres
   Rotas alteradas."
   Vinícius de Moraes

b) "Somos muitos severinos
   iguais em tudo e na sina:
   a de abrandar estas pedras
   suando-se muito em cima."
   João Cabral de Melo Neto

c) "O funcionário público
   não cabe no poema
   com seu salário de fome
   sua vida fechada em arquivos."
   Ferreira Gullar

d) "Não sou nada.
   Nunca serei nada.
   Não posso querer ser nada.
   À parte isso, tenho em mim todos os sonhos do mundo."
   Fernando Pessoa

e) "Os inocentes do Leblon
   Não viram o navio entrar [...]
   Os inocentes, definitivamente inocentes
   tudo ignoravam,
   mas a areia é quente, e há um óleo suave
   que eles passam pelas costas, e aquecem."
   Carlos Drummond de Andrade

C5-H15

47. (Enem)

Brasil

O Zé Pereira chegou de caravela
E preguntou pro guarani da mata virgem
– Sois cristão?
– Não. Sou bravo, sou forte, sou filho da Morte
Teterê tetê Quizá Quizá Quecê!
Lá longe a onça resmungava Uu! ua! uu!
O negro zonzo saído da fornalha
Tomou a palavra e respondeu
– Sim pela graça de Deus
Canhem Babá Canhem Babá Cum Cum!
E fizeram o Carnaval

OSWALD DE ANDRADE

Este texto apresenta uma versão humorística da formação do Brasil, mostrando-a como uma junção de elementos diferentes. Considerando-se esse aspecto, é correto afirmar que a visão apresentada pelo texto é:

a) ambígua, pois tanto aponta o caráter desconjuntado da formação nacional, quanto parece sugerir que esse processo, apesar de tudo, acaba bem.

b) inovadora, pois mostra que as três raças formadoras – portugueses, negros e índios – pouco contribuíram para a formação da identidade brasileira.

c) moralizante, na medida em que aponta a precariedade da formação cristã do Brasil como causa da predominância de elementos primitivos e pagãos.

d) preconceituosa, pois critica tanto índios quanto negros, representando de modo positivo apenas o elemento europeu, vindo com as caravelas.

e) negativa, pois retrata a formação do Brasil como incoerente e defeituosa, resultando em anarquia e falta de seriedade.

C5-H15

48. (Enem)

A polifonia, variedade de vozes, presente no poema [da questão 47] resulta da manifestação do:

a) poeta e do colonizador apenas.

b) colonizador e do negro apenas.

c) negro e do índio apenas.

d) colonizador, do poeta e do negro apenas.

e) poeta, do colonizador, do índio e do negro.

C5-H15

49. (Enem)

O trovador

Sentimentos em mim do asperamente

dos homens das primeiras eras...

As primaveras do sarcasmo

intermitentemente no meu coração arlequinal...

Intermitentemente...

Outras vezes é um doente, um frio

na minha alma doente como um longo som redondo...

Cantabona! Cantabona!

Dlorom...

Sou um tupi tangendo um alaúde!

MÁRIO DE ANDRADE. In: MANFIO, D. Z. (Org.) *Poesias completas de Mário de Andrade*. Belo Horizonte: Itatiaia, 2005.

Cara ao Modernismo, a questão da identidade nacional é recorrente na prosa e na poesia de Mário de Andrade. Em *O trovador*, esse aspecto é:

a) abordado subliminarmente, por meio de expressões como "coração arlequinal" que, evocando o Carnaval, remete à brasilidade.

b) verificado já no título, que remete aos repentistas nordestinos, estudados por Mário de Andrade em suas viagens e pesquisas folclóricas.

c) lamentado pelo eu lírico, tanto no uso de expressões como "Sentimentos em mim do asperamente" (v. 1), "frio" (v. 6), "alma doente" (v. 7), como pelo som triste do alaúde "Dlorom" (v. 9).

d) problematizado na oposição tupi (selvagem) x alaúde (civilizado), apontando a síntese nacional que seria proposta no *Manifesto Antropófago*, de Oswald de Andrade.

e) exaltado pelo eu lírico, que evoca os "sentimentos dos homens das primeiras eras" para mostrar o orgulho brasileiro por suas raízes indígenas.

C5H16

50. (Enem)

Erro de português

Quando o português chegou
Debaixo de uma bruta chuva
Vestiu o índio
Que pena!
Fosse uma manhã de Sol
O índio tinha despido
O português.

OSWALD DE ANDRADE. *Poesias reunidas*. Rio de Janeiro: Civilização Brasileira, 1978.

O primitivismo observável no poema acima, de Oswald de Andrade, caracteriza de forma marcante:

a) o regionalismo do Nordeste.
b) o concretismo paulista.
c) a poesia Pau-Brasil.
d) o simbolismo pré-modernista.
e) o tropicalismo baiano.

C5-H16

51. (Enem)

Poética, de Manuel Bandeira, é quase um manifesto do movimento modernista brasileiro de 1922. No poema, o autor elabora críticas e propostas que representam o pensamento estético predominante na época.

Poética

Estou farto do lirismo comedido
Do lirismo bem comportado
Do lirismo funcionário público com livro de ponto
   [expediente protocolo e manifestações de apreço ao
   [Sr. diretor.
Estou farto do lirismo que pára e vai averiguar no
   [dicionário o cunho vernáculo de um vocábulo
Abaixo os puristas
....
Quero antes o lirismo dos loucos
O lirismo dos bêbedos

O lirismo difícil e pungente dos bêbedos
O lirismo dos clowns de Shakespeare
— Não quero mais saber do lirismo que não é libertação.

Manuel Bandeira. *Poesia completa e prosa*. Rio de Janeiro: Aguilar, 1974.

Com base na leitura do poema, podemos afirmar corretamente que o poeta:

a) critica o lirismo louco do movimento modernista.
b) critica todo e qualquer lirismo na literatura.
c) propõe o retorno ao lirismo do movimento clássico.
d) propõe o retorno ao lirismo do movimento romântico.
e) propõe a criação de um novo lirismo.

C5-H16

52. (Enem)

Namorados

O rapaz chegou-se para junto da moça e disse:
— Antônia, ainda não me acostumei com o seu corpo, [com a sua cara.
A moça olhou de lado e esperou.
— Você não sabe quando a gente é criança e de repente [vê uma lagarta listrada?
A moça se lembrava:
— A gente fica olhando...
A meninice brincou de novo nos olhos dela.
O rapaz prosseguiu com muita doçura:
— Antônia, você parece uma lagarta listrada.
A moça arregalou os olhos, fez exclamações.
O rapaz concluiu:
— Antônia, você é engraçada! Você parece louca.

Manuel Bandeira. *Poesia completa & prosa*. Rio de Janeiro: Nova Aguilar, 1985.

No poema de Bandeira, importante representante da poesia modernista, destaca-se como característica da escola literária dessa época:

a) a reiteração de palavras como recurso de construção de rimas ricas.
b) a utilização expressiva da linguagem falada em situações do cotidiano.

c) a criativa simetria de versos para reproduzir o ritmo do tema abordado.

d) a escolha do tema do amor romântico, caracterizador do estilo literário dessa época.

e) o recurso ao diálogo, gênero discursivo típico do Realismo.

C6-H18

53. (Enem)

Cidade grande

Que beleza, Montes Claros.
Como cresceu Montes Claros.
Quanta indústria em Montes Claros.
Montes Claros cresceu tanto,
ficou urbe tão notória,
prima-rica do Rio de Janeiro,
que já tem cinco favelas
por enquanto, e mais promete.

CARLOS DRUMMOND DE ANDRADE

Entre os recursos expressivos empregados no texto, destaca-se a

a) metalinguagem, que consiste em fazer a linguagem referir-se à própria linguagem.

b) intertextualidade, na qual o texto retoma e reelabora outros textos.

c) ironia, que consiste em se dizer o contrário do que se pensa, com intenção crítica.

d) denotação, caracterizada pelo uso das palavras em seu sentido próprio e objetivo.

e) prosopopeia, que consiste em personificar coisas inanimadas, atribuindo-lhes vida.

C6-H18

54. (Enem)

No trecho "Montes Claros cresceu tanto,/ [...],/ **que** já tem cinco favelas", a palavra **que** contribui para estabelecer uma relação de consequência. Dos seguintes versos, todos de Carlos Drummond de Andrade, apresentam esse mesmo tipo de relação:

a) "Meu Deus, por que me abandonaste/ se sabias que eu não era Deus/ se sabias que eu era fraco."

b) "No meio-dia branco de luz uma voz que aprendeu/ a ninar nos longes da senzala – e nunca se esqueceu/ chamava para o café."

c) "Teus ombros suportam o mundo/ e ele não pesa mais que a mão de uma criança."

d) "A ausência é um estar em mim./ E sinto-a, branca, tão pegada, aconchegada nos meus braços,/ que rio e danço e invento exclamações alegres."

e) "Penetra surdamente no reino das palavras./ Lá estão os poemas que esperam ser escritos."

C7-H22

55. (Enem)

Texto I

Autorretrato

Provinciano que nunca soube
Escolher bem uma gravata;
Pernambucano a quem repugna
A faca do pernambucano;
Poeta ruim que na arte da prosa
Envelheceu na infância da arte,

E até mesmo escrevendo crônicas
Ficou cronista de província;
Arquiteto falhado, músico
Falhado (engoliu um dia
Um piano, mas o teclado

Ficou de fora); sem família,
Religião ou filosofia;
Mal tendo a inquietação de espírito
Que vem do sobrenatural,
E em matéria de profissão
Um tísico* profissional.

Manuel Bandeira. *Poesia completa e prosa*. Rio de Janeiro: Aguilar, 1983. p. 395.

(*) tísico = tuberculoso

Texto II

Poema de sete faces

Quando eu nasci, um anjo torto
desses que vivem na sombra
disse: Vai, Carlos! ser gauche na vida.

As casas espiam os homens
que correm atrás de mulheres.
A tarde talvez fosse azul,
não houvesse tantos desejos.
[....]
Meu Deus, por que me abandonaste
se sabias que eu não era Deus
se sabias que eu era fraco.
Mundo mundo vasto mundo,
se eu me chamasse Raimundo
seria uma rima, não seria uma solução.
Mundo mundo vasto mundo
mais vasto é o meu coração.

CARLOS DRUMMOND DE ANDRADE. *Obra completa*. Rio de Janeiro: Aguilar, 1964. p. 53.

Esses poemas têm em comum o fato de:
a) descreverem aspectos físicos dos próprios autores.
b) refletirem um sentimento pessimista.
c) terem a doença como tema.
d) narrarem a vida dos autores desde o nascimento.
e) defenderem crenças religiosas.

C6-H19

56. (Enem)

Canção do vento e da minha vida

O vento varria as folhas,
O vento varria os frutos,
O vento varria as flores...
     E a minha vida ficava
     Cada vez mais cheia
     De frutos, de flores, de folhas.
[...]
O vento varria os sonhos
E varria as amizades...
O vento varria as mulheres...
     E a minha vida ficava
     Cada vez mais cheia
     De afetos e de mulheres.

O vento varria os meses

E varria os teus sorrisos...

O vento varria tudo!

    E a minha vida ficava

    Cada vez mais cheia

    De tudo.

Manuel Bandeira. *Poesia completa e prosa*. Rio de Janeiro: José Aguilar, 1967.

Na estruturação do texto, destaca-se:

a) a construção de oposições semânticas.

b) a apresentação de ideias de forma objetiva.

c) o emprego recorrente de figuras de linguagem, como o eufemismo.

d) a repetição de sons e de construções sintáticas semelhantes.

e) a inversão da ordem sintática das palavras.

C6-H19

57. (Enem)

Predomina no texto [da questão 56] a função da linguagem:

a) fática, porque o autor procura testar o canal de comunicação.

b) metalinguística, porque há explicação do significado das expressões.

c) conativa, uma vez que o leitor é provocado a participar de uma ação.

d) referencial, já que são apresentadas informações sobre acontecimentos e fatos reais.

e) poética, pois chama-se a atenção para a elaboração especial e artística da estrutura do texto.

C5-H16

58. (Enem)

Camelôs

Abençoado seja o camelô dos brinquedos de tostão:

O que vende balõezinhos de cor

O macaquinho que trepa no coqueiro

O cachorrinho que bate com o rabo

Os homenzinhos que jogam boxe

A pererreca verde que de repente dá um pulo que

          [engraçado

E as canetinhas-tinteiro que jamais escreverão coisa
[alguma.

Alegria das calçadas

Uns falam pelos cotovelos:

– "O cavalheiro chega em casa e diz: Meu filho, vai
[buscar um pedaço de banana para eu
[acender o charuto. Naturalmente o
[menino pensará: Papai está malu..."

Outros, coitados, têm a língua atada.

Todos porém sabem mexer nos cordéis como o tino
[ingênuo de demiurgos de inutilidades.
E ensinam no tumulto das ruas os mitos heroicos da
[meninice...
E dão aos homens que passam preocupados ou tristes
[uma lição de infância.

MANUEL BANDEIRA. *Estrela da vida inteira*. Rio de Janeiro: Nova Fronteira, 2007.

Uma das diretrizes do Modernismo foi a percepção de elementos do cotidiano como matéria de inspiração poética. O poema de Manuel Bandeira exemplifica essa tendência e alcança expressividade porque:

a) realiza um inventário dos elementos lúdicos tradicionais da criança brasileira.

b) promove uma reflexão sobre a realidade de pobreza dos centros urbanos.

c) traduz em linguagem lírica o mosaico de elementos de significação corriqueira.

d) introduz a interlocução como mecanismo de construção de uma poética nova.

e) constata a condição melancólica dos homens distantes da simplicidade infantil.

C6-H1

59. (Enem)

Estrada

Esta estrada onde moro, entre duas voltas do caminho,
Interessa mais que uma avenida urbana.
Nas cidades todas as pessoas se parecem.
Todo mundo é igual. Todo mundo é toda a gente.

Aqui, não: sente-se bem que cada um traz a sua alma.

Cada criatura é única.

Até os cães.

Estes cães da roça parecem homens de negócios:

Andam sempre preocupados.

E quanta gente vem e vai!

E tudo tem aquele caráter impressivo que faz meditar:

Enterro a pé ou a carrocinha de leite puxada por um
[bodezinho manhoso.

Nem falta o murmúrio da água, para sugerir, pela voz
[dos símbolos,

Que a vida passa! que a vida passa!

E que a mocidade vai acabar.

MANUEL BANDEIRA. *O ritmo dissoluto*. Rio de Janeiro: Aguilar, 1967.

A lírica de Manuel Bandeira é pautada na apreensão de significados profundos a partir de elementos do cotidiano. No poema *Estrada*, o lirismo presente no contraste entre campo e cidade aponta para:

a) o desejo do eu lírico de resgatar a movimentação dos centros urbanos, o que revela sua nostalgia com relação à cidade.

b) a percepção do caráter efêmero da vida, possibilitada pela observação da aparente inércia da vida rural.

c) a opção do eu lírico pelo espaço bucólico como possibilidade de meditação sobre a sua juventude.

d) a visão negativa da passagem do tempo, visto que esta gera insegurança.

e) a profunda sensação de medo gerada pela reflexão acerca da morte.

C5-H16

60. (Enem)

Confidência do Itabirano

Alguns anos vivi em Itabira.

Principalmente nasci em Itabira.

Por isso sou triste, orgulhoso: de ferro.

Noventa por cento de ferro nas calçadas.

Oitenta por cento de ferro nas almas.

E esse alheamento do que na vida é porosidade e
[comunicação.

A vontade de amar, que me paralisa o trabalho,
vem de Itabira, de suas noites brancas, sem mulheres
[e sem horizontes.
E o hábito de sofrer, que tanto me diverte,
é doce herança itabirana.

De Itabira trouxe prendas diversas que ora te ofereço:
esta pedra de ferro, futuro aço do Brasil,
este São Benedito do velho santeiro Alfredo Duval;
este couro de anta, estendido no sofá da sala de visitas;
este orgulho, esta cabeça baixa...

Tive ouro, tive gado, tive fazendas.
Hoje sou funcionário público.
Itabira é apenas uma fotografia na parede.
Mas como dói!

CARLOS DRUMMOND DE ANDRADE. *Poesia completa*. Rio de Janeiro: Nova Aguilar, 2003.

Carlos Drummond de Andrade é um dos expoentes do movimento modernista brasileiro. Com seus poemas, penetrou fundo na alma do Brasil e trabalhou poeticamente as inquietudes e os dilemas humanos. Sua poesia é feita de uma relação tensa entre o universal e o particular, como se percebe claramente na construção do poema *Confidência do Itabirano*. Tendo em vista os procedimentos de construção do texto literário e as concepções artísticas modernistas, conclui-se que o poema acima:

a) representa a fase heroica do modernismo, devido ao tom contestatório e à utilização de expressões e usos linguísticos típicos da oralidade.

b) apresenta uma característica importante do gênero lírico, que é a apresentação objetiva de fatos e dados históricos.

c) evidencia uma tensão histórica entre o "eu" e a sua comunidade, por intermédio de imagens que representam a forma como a sociedade e o mundo colaboram para a constituição do indivíduo.

d) critica, por meio de um discurso irônico, a posição de inutilidade do poeta e da poesia em comparação com as prendas resgatadas de Itabira.

e) apresenta influências românticas, uma vez que trata da individualidade, da saudade da infância e do amor pela terra natal, por meio de recursos retóricos pomposos.

C5-H16

61. (Enem)

No poema *Procura da poesia*, Carlos Drummond de Andrade expressa a concepção estética de se fazer com palavras o que o escultor Michelângelo fazia com mármore. O fragmento abaixo exemplifica essa afirmação.

> [...]
>
> Penetra surdamente no reino das palavras.
>
> Lá estão os poemas que esperam ser escritos.
>
> [...]
>
> Chega mais perto e contempla as palavras.
>
> Cada uma
>
> tem mil faces secretas sob a face neutra
>
> e te pergunta, sem interesse pela resposta,
>
> pobre ou terrível, que lhe deres:
>
> trouxeste a chave?

CARLOS DRUMMOND DE ANDRADE. *A rosa do povo*. Rio de Janeiro: Record, 1997. p. 13-14.

Esse fragmento poético ilustra o seguinte tema constante entre autores modernistas:

a) a nostalgia do passado colonialista revisitado.

b) a preocupação com o engajamento político e social da literatura.

c) o trabalho quase artesanal com as palavras, despertando sentidos novos.

d) a produção de sentidos herméticos na busca da perfeição poética.

e) a contemplação da natureza brasileira na perspectiva ufanista da pátria.

C5-H15

62. (Enem)

Olá! Negro

Os netos de teus mulatos e de teus cafuzos

e a quarta e a quinta gerações de teu sangue sofredor

tentarão apagar a tua cor!

E as gerações dessas gerações quando apagarem

a tua tatuagem execranda,

não apagarão de suas almas, a tua alma, negro!

Pai-João, Mãe-negra, Fulô, Zumbi,
negro-fujão, negro cativo, negro rebelde
negro cabinda, negro congo, negro ioruba, negro que
                    [foste para o algodão de USA
para os canaviais do Brasil, para o tronco, para o colar
                    [de ferro, para a canga
de todos os senhores do mundo;
eu melhor compreendo agora os teus *blues*
nesta hora triste da raça branca, negro!
Olá, Negro! Olá, Negro!
A raça que te enforca, enforca-se de tédio, negro!

JORGE DE LIMA. *Obras completas*. Rio de Janeiro: Aguilar, 1958 (fragmento).

O conflito de gerações e de grupos étnicos reproduz, na visão do eu lírico, um contexto social assinalado por:

a) modernização dos modos de produção e consequente enriquecimento dos brancos.

b) preservação da memória ancestral e resistência negra à apatia cultural dos brancos.

c) superação dos costumes antigos por meio da incorporação de valores dos colonizados.

d) nivelamento social de descendentes de escravos e de senhores pela condição de pobreza.

e) antagonismo entre grupos de trabalhadores e lacunas de hereditariedade.

C8-H25

63. (Enem)

No romance *Vidas Secas*, de Graciliano Ramos, o vaqueiro Fabiano encontra-se com o patrão para receber o salário. Eis parte da cena:

1   Não se conformou: devia haver engano. [...] Com certeza havia um erro no papel do branco. Não se descobriu o erro, e Fabiano perdeu os estribos.
4   Passar a vida inteira assim no toco, entregando o que era dele de mão beijada! Estava direito aquilo? Trabalhar como negro e nunca arranjar carta de
7   alforria?
    O patrão zangou-se, repeliu a insolência, achou bom que o vaqueiro fosse procurar serviço
10 noutra fazenda.
    Aí Fabiano baixou a pancada e amunhecou. Bem, bem. Não era preciso barulho não.

GRACILIANO RAMOS. *Vidas Secas*. 91. ed. Rio de Janeiro: Record, 2003.

No fragmento transcrito, o padrão formal da linguagem convive com marcas de regionalismo e de coloquialismo no vocabulário. Pertence à variedade do padrão formal da linguagem o seguinte trecho:

a) "Não se conformou: devia haver engano" (l.1).
b) "e Fabiano perdeu os estribos" (l.3).
c) "Passar a vida inteira assim no toco" (l.4).
d) "entregando o que era dele de mão beijada!" (l.4-5).
e) "Aí Fabiano baixou a pancada e amunhecou" (l.11).

C7-H22

64. (Enem)

Texto I

Agora Fabiano conseguia arranjar as ideias. O que o segurava era a família. Vivia preso como um novilho amarrado ao mourão, suportando ferro quente. Se não fosse isso, um soldado amarelo não lhe pisava o pé não. [...] Tinha aqueles cambões pendurados ao pescoço. Deveria continuar a arrastá-los? Sinha Vitória dormia mal na cama de varas. Os meninos eram uns brutos, como o pai. Quando crescessem, guardariam as reses de um patrão invisível, seriam pisados, maltratados, machucados por um soldado amarelo.

GRACILIANO RAMOS. *Vidas Secas*. 23. ed. São Paulo: Martins, 1969. p. 75.

Texto II

Para Graciliano, o roceiro pobre é um outro, enigmático, impermeável. Não há solução fácil para uma tentativa de incorporação dessa figura no campo da ficção. É lidando com o impasse, ao invés de fáceis soluções, que Graciliano vai criar *Vidas secas*, elaborando uma linguagem, uma estrutura romanesca, uma constituição de narrador em que narrador e criaturas se tocam, mas não se identificam. Em grande medida, o debate acontece porque, para a intelectualidade brasileira naquele momento, o pobre, a despeito de aparecer idealizado em certos aspectos, ainda é visto como um ser humano de segunda categoria, simples demais, incapaz de ter pensamentos demasiadamente complexos. O que *Vidas secas* faz é, com pretenso não envolvimento da voz que controla a narrativa, dar conta de uma riqueza humana de que essas pessoas seriam plenamente capazes.

LUÍS BUENO. Guimarães, Clarice e antes. *Teresa*, São Paulo, USP, n. 2, p. 254, 2001.

A partir do trecho de *Vidas Secas* (texto I) e das informações do texto II, relativas às concepções artísticas do romance social de 1930, avalie as seguintes afirmativas.

I. O pobre, antes tratado de forma exótica e folclórica pelo regionalismo pitoresco, transforma-se em protagonista privilegiado do romance social de 30.

II. A incorporação do pobre e de outros marginalizados indica a tendência da ficção brasileira da década de 30 de tentar superar a grande distância entre o intelectual e as camadas populares.

III. Graciliano Ramos e os demais autores da década de 30 conseguiram, com suas obras, modificar a posição social do sertanejo na realidade nacional.

É correto apenas o que se afirma em:

a) I.
b) II.
c) III.
d) I e II.
e) II e III.

C7-H22

65. (Enem)

No texto II [da questão 64], verifica-se que o autor utiliza:

a) linguagem predominantemente formal, para problematizar, na composição de *Vidas Secas*, a relação entre o escritor e o personagem popular.

b) linguagem inovadora, visto que, sem abandonar a linguagem formal, dirige-se diretamente ao leitor.

c) linguagem coloquial, para narrar coerentemente uma história que apresenta o roceiro pobre de forma pitoresca.

d) linguagem formal com recursos retóricos próprios do texto literário em prosa, para analisar determinado momento da literatura brasileira.

e) linguagem regionalista, para transmitir informações sobre literatura, valendo-se de coloquialismo, para facilitar o entendimento do texto.

C5-H15

66. (Enem)

A velha Totonha de quando em vez batia no engenho. E era um acontecimento para a meninada... Que talento ela possuía para contar as suas histórias, com um jeito admirável de falar em nome de todos os personagens, sem nenhum dente na boca, e com uma voz que dava todos os tons às palavras!

Havia sempre rei e rainha, nos seus contos, e força e adivinhações. E muito da vida, com as suas maldades e as suas grandezas, a gente encontrava naqueles heróis e naqueles intrigantes, que eram sempre castigados com mortes horríveis! O que fazia a velha Totonha mais curiosa era a cor local que ela punha nos seus descritivos. Quando ela queria pintar um reino era como se estivesse falando dum engenho fabuloso. Os rios e florestas por onde andavam os seus personagens se pareciam muito com a Paraíba e a Mata do Rolo. O seu Barba-Azul era um senhor de engenho de Pernambuco.

José Lins do Rego. *Menino de Engenho.* Rio de Janeiro: José Olympio, 1980. p. 49-51 (com adaptações).

Na construção da personagem "velha Totonha", é possível identificar traços que revelam marcas do processo de colonização e de civilização do país. Considerando o texto acima, infere-se que a velha Totonha:

a) tira o seu sustento da produção da literatura, apesar de suas condições de vida e de trabalho, que denotam que ela enfrenta situação econômica muito adversa.

b) compõe, em suas histórias, narrativas épicas e realistas da história do país colonizado, livres da influência de temas e modelos não representativos da realidade nacional.

c) retrata, na constituição do espaço dos contos, a civilização urbana europeia em concomitância com a representação literária de engenhos, rios e florestas do Brasil.

d) aproxima-se, ao incluir elementos fabulosos nos contos, do próprio romancista, o qual pretende retratar a realidade brasileira de forma tão grandiosa quanto a europeia.

e) imprime marcas da realidade local a suas narrativas, que têm como modelo e origem as fontes da literatura e da cultura europeia universalizada.

C7-H22

67. (Enem)

Texto I

Logo depois transferiram para o trapiche o depósito dos objetos que o trabalho do dia lhes proporcionava. Estranhas coisas entraram então para o trapiche. Não mais estranhas, porém, que aqueles meninos, moleques de todas as cores e de idades as mais variadas, desde os nove aos dezesseis anos, que à noite se estendiam pelo assoalho e por debaixo da ponte e dormiam, indiferentes ao vento que circundava o casarão uivando, indiferentes à chuva que muitas vezes os lavava, mas com os olhos puxados para as luzes dos navios, com os ouvidos presos às canções que vinham das embarcações...

Jorge Amado. *Capitães da Areia*. São Paulo: Companhia das Letras, 2008 (fragmento).

Texto II

À margem esquerda do rio Belém, nos fundos do mercado de peixe, ergue-se o velho ingazeiro – ali os bêbados são felizes. Curitiba os considera animais sagrados, provê as suas necessidades de cachaça e pirão. No trivial contentavam-se com as sobras do mercado.

Dalton Trevisan. *35 noites de paixão*: contos escolhidos. Rio de Janeiro: BestBolso, 2009 (fragmento).

Sob diferentes perspectivas, os fragmentos citados são exemplos de uma abordagem literária recorrente na literatura brasileira do século XX. Em ambos os textos,

a) a linguagem afetiva aproxima os narradores dos personagens marginalizados.

b) a ironia marca o distanciamento dos narradores em relação aos personagens.

c) o detalhamento do cotidiano dos personagens revela a sua origem social.

d) o espaço onde vivem os personagens é uma das marcas de sua exclusão.

e) a crítica à indiferença da sociedade pelos marginalizados é direta.

C5-H17

68. (Enem)

Ai, palavras, ai, palavras
que estranha potência a vossa!

Todo o sentido da vida
principia a vossa porta:
o mel do amor cristaliza

seu perfume em vossa rosa;

sois o sonho e sois a audácia,

calúnia, fúria, derrota...

A liberdade das almas,

ai! Com letras se elabora...

E dos venenos humanos

sois a mais fina retorta:

frágil, frágil, como o vidro

e mais que o aço poderosa!

Reis, impérios, povos, tempos,

pelo vosso impulso rodam...

CECÍLIA MEIRELES. *Obra poética*. Rio de Janeiro: Nova Aguilar, 1985 (fragmento).

O fragmento destacado foi transcrito do *Romanceiro da inconfidência*, de Cecília Meireles. Centralizada no episódio histórico da Inconfidência Mineira, a obra, no entanto, elabora uma reflexão mais ampla sobre a seguinte relação entre o homem e a linguagem:

a) A força e a resistência humanas superam os danos provocados pelo poder corrosivo das palavras.

b) As relações humanas, em suas múltiplas esferas, têm seu equilíbrio vinculado ao significado das palavras.

c) O significado dos nomes não expressa de forma justa e completa a grandeza da luta do homem pela vida.

d) Renovando o significado das palavras, o tempo permite às gerações perpetuar seus valores e suas crenças.

e) Como produto da criatividade humana, a linguagem tem seu alcance limitado pelas intenções e gestos.

C6-H18

69. (Enem)

Murilo Mendes, em um de seus poemas, dialoga com a carta de Pero Vaz de Caminha:

A terra é mui graciosa,

Tão fértil eu nunca vi.

A gente vai passear,

No chão espeta um caniço,

No dia seguinte nasce

Bengala de castão de oiro.

Tem goiabas, melancias,
Banana que nem chuchu.
Quanto aos bichos, tem-nos muito,
De plumagens mui vistosas.
Tem macaco até demais
Diamantes tem à vontade
Esmeralda é para os trouxas.
Reforçai, Senhor, a arca,
Cruzados não faltarão,
Vossa perna encanareis,
Salvo o devido respeito.
Ficarei muito saudoso
Se for embora daqui.

MURILO MENDES. *Murilo Mendes*: poesia completa e prosa. Rio de Janeiro: Nova Aguilar, 1994.

Arcaísmos e termos coloquiais misturam-se nesse poema, criando um efeito de contraste, como ocorre em:

a) A terra é mui graciosa/Tem macaco até demais

b) Salvo o devido respeito/Reforçai, Senhor, a arca

c) A gente vai passear/Ficarei muito saudoso

d) De plumagens mui vistosas/Bengala de castão de oiro

e) No chão espeta um caniço/Diamantes tem à vontade

C6-H18

70. (Enem)

O correr da vida embrulha tudo. A vida é assim: esquenta e esfria, aperta e daí afrouxa, sossega e depois desinquieta. O que ela quer da gente é coragem.

JOÃO GUIMARÃES ROSA. *Grande sertão:* veredas. Rio de Janeiro: Nova Fronteira, 1986.

No romance *Grande sertão:* veredas, o protagonista Riobaldo narra sua trajetória de jagunço. A leitura do trecho permite identificar que o desabafo de Riobaldo se aproxima de um(a)

a) diário, por trazer lembranças pessoais.

b) fábula, por apresentar uma lição de moral.

c) notícia, por informar sobre um acontecimento.

d) aforismo, por expor uma máxima em poucas palavras.

e) crônica, por tratar de fatos do cotidiano.

C5-H16

71. (Enem)

Quem é pobre, pouco se apega, é um giro-o-giro no vago dos gerais, que nem os pássaros de rios e lagoas. O senhor vê: o Zé-Zim, o melhor meeiro meu aqui, risonho e habilidoso. Pergunto: – Zé-Zim, por que é que você não cria galinhas-d'angola, como todo o mundo o faz? – Quero criar nada não... – me deu resposta: – Eu gosto muito de mudar... [...] Belo um dia, ele tora. Ninguém discrepa. Eu, tantas, mesmo digo. Eu dou proteção. [...] Essa não faltou também à minha mãe, quando eu era menino, no sertãozinho de minha terra. [...] Gente melhor do lugar eram todos dessa família Guedes, Jidião Guedes; quando saíram de lá, nos trouxeram junto, minha mãe e eu. Ficamos existindo em território baixio da Sirga, da outra banda, ali onde o de –janeiro vai no São Francisco, o senhor sabe.

João Guimarães Rosa. *Grande sertão*: veredas. Rio de Janeiro: José Olympio (fragmento).

Na passagem citada, Riobaldo expõe uma situação decorrente de uma desigualdade social típica das áreas rurais brasileiras marcadas pela concentração de terras e pela relação de dependência entre agregados e fazendeiros. No texto, destaca-se essa relação porque o personagem-narrador:

a) relata a seu interlocutor a história de Zé-Zim, demonstrando sua pouca disposição em ajudar seus agregados, uma vez que superou essa condição graças à sua força de trabalho.

b) descreve o processo de transformação de um meeiro – espécie de agregado – em proprietário de terra.

c) denuncia a falta de compromisso e a desocupação dos moradores, que pouco se envolvem no trabalho da terra.

d) mostra como a condição material da vida do sertanejo é dificultada pela sua dupla condição de homem livre e, ao mesmo tempo, dependente.

e) mantém o distanciamento narrativo condizente com sua posição social, de proprietário de terras.

C6-H18

72. (Enem)

De repente lá vinha um homem a cavalo. Eram dois. Um senhor de fora, o claro de roupa. Miguilim saudou, pedindo a bênção. O homem trouxe o cavalo cá bem junto.

Ele era de óculos, corado, alto, com um chapéu diferente, mesmo.

– Deus te abençoe, pequenino. Como é teu nome?

– Miguilim. Eu sou irmão do Dito.

– E o seu irmão Dito é o dono daqui?

– Não, meu senhor. O Ditinho está em glória.

O homem esbarrava o avanço do cavalo, que era zelado, manteúdo, formoso como nenhum outro. Redizia:

– Ah, não sabia, não. Deus o tenha em sua guarda... Mas que é que há, Miguilim?

Miguilim queria ver se o homem estava mesmo sorrindo para ele, por isso é que o encarava.

– Por que você aperta os olhos assim? Você não é limpo de vista? Vamos até lá. Quem é que está em tua casa?

– É Mãe, e os meninos...

Estava Mãe, estava tio Terez, estavam todos. O senhor alto e claro se apeou. O outro, que vinha com ele, era um camarada.

O senhor perguntava à Mãe muitas coisas do Miguilim. Depois perguntava a ele mesmo: –'Miguilim, espia daí: quantos dedos da minha mão você está enxergando? E agora?'

João Guimarães Rosa. *Manuelzão e Miguilim*. 9. ed. Rio de Janeiro: Nova Fronteira, 1984.

Esta história, com narrador observador em terceira pessoa, apresenta os acontecimentos da perspectiva de Miguilim. O fato de o ponto de vista do narrador ter Miguilim como referência, inclusive espacial, fica explicitado em:

a) "O homem trouxe o cavalo cá bem junto."

b) "Ele era de óculos, corado, alto [...]"

c) "O homem esbarrava o avanço do cavalo, [...]"

d) "Miguilim queria ver se o homem estava mesmo sorrindo para ele, [...]"

e) "Estava Mãe, estava tio Terez, estavam todos"

C5-H16

73. (Enem)

Texto I

O meu nome é Severino,

não tenho outro de pia.

Como há muitos Severinos,

que é santo de romaria,
deram então de me chamar
Severino de Maria
como há muitos Severinos
com mães chamadas Maria,
fiquei sendo o da Maria,
do finado Zacarias,
mas isso ainda diz pouco:
há muitos na freguesia,
por causa de um coronel
que se chamou Zacarias
e que foi o mais antigo
senhor desta sesmaria.
Como então dizer quem fala
ora a Vossas Senhorias?

João Cabral de Melo Neto. *Obra completa*. Rio de Janeiro: Aguilar, 1994 (fragmento).

Texto II

João Cabral, que já emprestara sua voz ao rio, transfere-a, aqui, ao retirante Severino, que, como o Capibaribe, também segue no caminho do Recife. A autoapresentação do personagem, na fala inicial do texto, nos mostra um Severino que, quanto mais se define, menos se individualiza, pois seus traços biográficos são sempre partilhados por outros homens.

Antônio Carlos Secchin. *João Cabral*: a poesia do menos. Rio de Janeiro: Topbooks, 1999 (fragmento).

Com base no trecho de *Morte e Vida Severina* (Texto I) e na análise crítica (Texto II), observa-se que a relação entre o texto poético e o contexto social a que ele faz referência aponta para um problema social expresso literariamente pela pergunta "Como então dizer quem fala/ ora a Vossas Senhorias?". A resposta à pergunta expressa no poema é dada por meio da:

a) descrição minuciosa dos traços biográficos do personagem-narrador.

b) construção da figura do retirante nordestino como um homem resignado com a sua situação.

c) representação, na figura do personagem-narrador, de outros Severinos que compartilham sua condição.

d) apresentação do personagem-narrador como uma projeção do próprio poeta, em sua crise existencial.

e) descrição de Severino, que, apesar de humilde, orgulha-se de ser descendente do coronel Zacarias.

C6-H18

74. (Enem)

> Os filhos de Ana eram bons, uma coisa verdadeira e sumarenta. Cresciam, tomavam banho, exigiam para si, malcriados, instantes cada vez mais completos. A cozinha era enfim espaçosa, o fogão enguiçado dava estouros. O calor era forte no apartamento que estavam aos poucos pagando. **Mas** o vento batendo nas cortinas que ela mesma cortara lembrava-lhe que se quisesse podia parar e enxugar a testa, olhando o calmo horizonte. Como um lavrador. Ela plantara as sementes que tinha na mão, não outras, **mas** essas apenas.
>
> CLARICE LISPECTOR. *Laços de família*. Rio de Janeiro: Rocco, 1998.

A autora emprega por duas vezes o conectivo **mas** no fragmento apresentado. Observando aspectos da organização, estruturação e funcionalidade dos elementos que articulam o texto, o conectivo **mas**:

a) expressa o mesmo conteúdo nas duas situações em que aparece no texto.

b) quebra a fluidez do texto e prejudica a compreensão, se usado no início da frase.

c) ocupa posição fixa, sendo inadequado seu uso na abertura da frase.

d) contém uma ideia de sequência temporal que direciona a conclusão do leitor.

e) assume funções discursivas distintas nos dois contextos de uso.

C5-H16

75. (Enem)

> Tudo no mundo começou com um sim. Uma molécula disse sim a outra molécula e nasceu a vida. Mas antes da pré-história havia a pré-história da pré-história e havia o nunca e havia o sim. Sempre houve. Não sei o quê, mas sei que o universo jamais começou.
>
> [...]

Enquanto eu tiver perguntas e não houver resposta continuarei a escrever. Como começar pelo início, se as coisas acontecem antes de acontecer? Se antes da pré--pré-história já havia os monstros apocalípticos? Se esta história não existe, passará a existir. Pensar é um ato. Sentir é um fato. Os dois juntos – sou eu que escrevo o que estou escrevendo. [...] Felicidade? Nunca vi palavra mais doida, inventada pelas nordestinas que andam por aí aos montes.

Como eu irei dizer agora, esta história será o resultado de uma visão gradual – há dois anos e meio venho aos poucos descobrindo os porquês. É visão da iminência de. De quê? Quem sabe se mais tarde saberei. Como que estou escrevendo na hora mesma em que sou lido. Só não inicio pelo fim que justificaria o começo – como a morte parece dizer sobre a vida – porque preciso registrar os fatos antecedentes.

CLARICE LISPECTOR. *A hora da estrela*. Rio de Janeiro: Rocco, 1998 (fragmento).

A elaboração de uma voz narrativa peculiar acompanha a trajetória literária de Clarice Lispector, culminada com a obra *A hora da estrela*, de 1977, ano da morte da escritora. Nesse fragmento, nota-se essa peculiaridade porque o narrador:

a) observa os acontecimentos que narra sob uma ótica distante, sendo indiferente aos fatos e às personagens.

b) relata a história sem ter tido a preocupação de investigar os motivos que levaram aos eventos que a compõem.

c) revela-se um sujeito que reflete sobre questões existenciais e sobre a construção do discurso.

d) admite a dificuldade de escrever uma história em razão da complexidade para escolher as palavras exatas.

e) propõe-se a discutir questões de natureza filosófica e metafísica, incomuns na narrativa de ficção.

C5-H15

76. (Enem)

Como se assistisse à demonstração de um espetáculo mágico, ia revendo aquele ambiente tão característico de família, com seus pesados móveis de vinhático ou de jacarandá, de qualidade antiga, e que denunciavam um passado ilustre, gerações de Meneses talvez mais singelos e mais calmos; agora, uma espécie de desordem, de relaxamento, abastardava aquelas qualidades primaciais. Mesmo assim era fácil perceber o que haviam sido, esses nobres da roça, com seus cristais que brilhavam mansamente na sombra, suas pratas semiempoeiradas que atestavam o esplendor esvanecido, seus marfins e suas opalinas – ah, respirava-se ali conforto, não havia dúvida, mas era apenas uma sobrevivência de coisas idas. Dir-se-ia, ante esse mundo que se ia desagregando, que um mal oculto o roía, como um tumor latente em suas entranhas.

Lúcio Cardoso. *Crônica da casa assassinada.* Rio de Janeiro: Civilização Brasileira, 2002 (adaptado).

O mundo narrado nesse trecho do romance de Lúcio Cardoso, acerca da vida dos Meneses, família da aristocracia rural de Minas Gerais, apresenta não apenas a história da decadência dessa família, mas é, ainda, a representação literária de uma fase de desagregação política, social e econômica do país. O recurso expressivo que formula literariamente essa desagregação histórica é o de descrever a casa dos Meneses como:

a) ambiente de pobreza e privação, que carece de conforto mínimo para a sobrevivência da família.

b) mundo mágico, capaz de recuperar o encantamento perdido durante o período de decadência da aristocracia rural mineira.

c) cena familiar, na qual o calor humano dos habitantes da casa ocupa o primeiro plano, compensando a frieza e austeridade dos objetos antigos.

d) símbolo de um passado ilustre que, apesar de superado, ainda resiste à sua total dissolução graças ao cuidado e asseio que a família dispensa à conservação da casa.

e) espaço arruinado, onde os objetos perderam seu esplendor e sobre os quais a vida repousa como lembrança de um passado que está em vias de desaparecer completamente.

C4-H13

77. (SM) Zilda Cotrim, em *O lúdico na obra de Abraham Palatnik*, reflete sobre o movimento e o lúdico em obras de arte contemporâneas. Ao tratar da sugestão de movimento na história da arte, a autora afirma que

As artes plásticas foram sempre consideradas artes espaciais constituídas por objetos estáticos. Porém, em todos os tempos, a necessidade dos artistas de introduzirem o movimento na estética de seus trabalhos pode ser notada: nas pinturas de animais da pré-história, na arte grega, nas transformações pictóricas dos renascentistas ou nos efeitos de ilusão ótica nos azulejos das catedrais. A necessidade da introdução do movimento numa obra de arte pode estar relacionada com a busca de maior "vida" para aquilo que o artista propôs exprimir. Com o advento da arte moderna, muitos artistas apropriaram-se de inventos tecnológicos para alcançar seus objetivos estéticos: relógios, caixas de música, teclados, cinema e motores.

Zilda Tereza Cotrim. *O lúdico na obra de Abraham Palatnik*. São Paulo: Annablume, 2012. p. 37-38.

Segundo a autora, a inovação que artistas modernos imprimiram no tratamento dado ao movimento em suas obras foi:

a) o modo de introduzi-lo, uma vez que já há sua presença desde as pinturas rupestres.

b) a iniciativa de introduzi-lo na estética de seus trabalhos.

c) o desprezo por ele e pelo lúdico como elementos artísticos ultrapassados, próprios de estéticas anteriores.

d) a negação da tecnologia como meio de criação, devido à degradação que foi consequência da primeira revolução industrial.

e) o apreço por ele, embora o uso de recursos tecnológicos seja visto com desconfiança.

C6-H18

78. (Enem)

O açúcar

O branco açúcar que adoçará meu café

nesta manhã de Ipanema

não foi produzido por mim

nem surgiu dentro do açucareiro por milagre.

Vejo-o puro

e afável ao paladar

como beijo de moça, água

na pele, flor

que se dissolve na boca. Mas este açúcar

não foi feito por mim.

Este açúcar veio

da mercearia da esquina e tampouco o fez o Oliveira,
[dono da mercearia.

Este açúcar veio

de uma usina de açúcar em Pernambuco

ou no Estado do Rio

e tampouco o fez o dono da usina.

Este açúcar era cana

e veio dos canaviais extensos

que não nascem por acaso

no regaço do vale.

[...]

Em usinas escuras,

homens de vida amarga

e dura

produziram este açúcar

branco e puro

com que adoço meu café esta manhã em Ipanema.

FERREIRA GULLAR. *Toda poesia*. Rio de Janeiro: Civilização Brasileira, 1980. p. 227-228.

A antítese que configura uma imagem da divisão social do trabalho na sociedade brasileira é expressa poeticamente na oposição entre a doçura do branco açúcar e

a) o trabalho do dono da mercearia de onde veio o açúcar.

b) o beijo de moça, a água na pele e a flor que se dissolve na boca.

c) o trabalho do dono do engenho em Pernambuco, onde se produz o açúcar.

d) a beleza dos extensos canaviais que nascem no regaço do vale.

e) o trabalho dos homens de vida amarga em usinas escuras.

C6-H18

79. (Enem)

Ferreira Gullar, um dos grandes poetas brasileiros da atualidade, é autor de "Bicho urbano", poema sobre a sua relação com as pequenas e grandes cidades.

Bicho urbano

Se disser que prefiro morar em Pirapemas
ou em outra qualquer pequena cidade do país
estou mentindo
ainda que lá se possa de manhã
lavar o rosto no orvalho
e o pão preserve aquele branco
sabor de alvorada.

....

A natureza me assusta.
Com seus matos sombrios suas águas
suas aves que são como aparições
me assusta quase tanto quanto
esse abismo
de gases e de estrelas
aberto sob minha cabeça.

FERREIRA GULLAR. *Toda poesia*. Rio de Janeiro: José Olympio Editora, 1991.

Embora não opte por viver numa pequena cidade, o poeta reconhece elementos de valor no cotidiano das pequenas comunidades. Para expressar a relação do homem com alguns desses elementos, ele recorre à sinestesia, construção de linguagem em que se mesclam impressões sensoriais diversas. Assinale a opção em que se observa esse recurso.

a) "e o pão preserve aquele branco/ sabor de alvorada."
b) "ainda que lá se possa de manhã/ lavar o rosto no orvalho"
c) "A natureza me assusta./ Com seus matos sombrios suas águas"
d) "suas aves que são como aparições/ me assusta quase tanto quanto"
e) "me assusta quase tanto quanto/ esse abismo/ de gases e de estrelas"

C6-H18

80. (Enem)

Pequenos tormentos da vida

De cada lado da sala de aula, pelas janelas altas, o azul
[convida os meninos,
as nuvens desenrolam-se, lentas como quem vai
[inventando

preguiçosamente uma história sem fim... Sem fim é a
[aula: e nada acontece,
nada... Bocejos e moscas. Se ao menos, pensa Margarida,
[se ao menos um
avião entrasse por uma janela e saísse por outra!

Mário Quintana. *Poesias*.

Na cena retratada no texto, o sentimento do tédio:

a) provoca que os meninos fiquem contando histórias.

b) leva os alunos a simularem bocejos, em protesto contra a monotonia da aula.

c) acaba estimulando a fantasia, criando a expectativa de algum imprevisto mágico.

d) prevalece de modo absoluto, impedindo até mesmo a distração ou o exercício do pensamento.

e) decorre da morosidade da aula, em contraste com o movimento acelerado das nuvens e das moscas.

C6-H18

81. (Enem)

A partida

1   Acordei pela madrugada. A princípio com tranquilidade, e logo com obstinação, quis novamente dormir. Inútil, o sono esgotara-se. Com precaução,
4   acendi um fósforo: passava das três. Restava-me, portanto, menos de duas horas, pois o trem chegaria às cinco. Veio-me então o desejo de não passar mais
7   nem uma hora naquela casa. Partir, sem dizer nada, deixar quanto antes minhas cadeias de disciplina e de amor.
10 Com receio de fazer barulho, dirigi-me à cozinha, lavei o rosto, os dentes, penteei-me e, voltando ao meu quarto, vesti-me. Calcei os sapatos,
13 sentei-me um instante à beira da cama. Minha avó continuava dormindo. Deveria fugir ou falar com ela? Ora, algumas palavras... Que me custava acordá-la,
16 dizer-lhe adeus?

Osman Lins. A partida. In: *Melhores contos*. Seleção e prefácio de Sandra Nitrini. São Paulo: Global, 2003.

No texto, o personagem narrador, na iminência da partida, descreve a sua hesitação em separar-se da avó. Esse sentimento contraditório fica claramente expresso no trecho:

a) "A princípio com tranquilidade, e logo com obstinação, quis novamente dormir" (l. 1-3).

b) "Restava-me, portanto, menos de duas horas, pois o trem chegaria às cinco" (l. 4-6).

c) "Calcei os sapatos, sentei-me um instante à beira da cama" (l. 12-13).

d) "Partir, sem dizer nada, deixar quanto antes minhas cadeias de disciplina e amor" (l. 7-9).

e) "Deveria fugir ou falar com ela? Ora, algumas palavras..." (l. 14-15).

C6-H18

82. (Enem)

> Do pedacinho de papel ao livro impresso vai uma longa distância. Mas o que o escritor quer, mesmo, é isso: ver o seu texto em letra de forma. A gaveta é ótima para aplacar a fúria criativa; ela faz amadurecer o texto da mesma forma que a adega faz amadurecer o vinho. Em certos casos, a cesta de papel é melhor ainda.
>
> O período de maturação na gaveta é necessário, mas não deve se prolongar muito. "Textos guardados acabam cheirando mal", disse Silvia Plath, [...] que, com esta frase, deu testemunho das dúvidas que atormentam o escritor: publicar ou não publicar? guardar ou jogar fora?
>
> MOACYR SCLIAR. *O escritor e seus desafios*.

Nesse texto, o escritor Moacyr Scliar usa imagens para refletir sobre uma etapa da criação literária. A ideia de que o processo de maturação do texto nem sempre é o que garante bons resultados está sugerida na seguinte frase:

a) "A gaveta é ótima para aplacar a fúria criativa."

b) "Em certos casos, a cesta de papel é melhor ainda."

c) "O período de maturação na gaveta é necessário, [...]."

d) "Mas o que o escritor quer, mesmo, é isso: ver o seu texto em letra de forma."

e) "ela (a gaveta) faz amadurecer o texto da mesma forma que a adega faz amadurecer o vinho."

C4-H12

83. (Enem)

(Tradução da placa: "Não me esqueçam quando eu for um nome importante.")

NAZARETH, P. Mercado de Artes/Mercado de Bananas. Miami Art Basel, EUA, 2011. Disponível em: <www.40forever.com.br>. Acesso em: 31 jul. 2012.

A contemporaneidade identificada na *performance*/instalação do artista mineiro Paulo Nazareth reside principalmente na forma como ele:

a) resgata conhecidas referências do modernismo mineiro.

b) utiliza técnicas e suportes tradicionais na construção das formas.

c) articula questões de identidade, território e códigos de linguagens.

d) imita o papel das celebridades no mundo contemporâneo.

e) camufla o aspecto plástico e a composição visual de sua montagem.

C5-H15

84. (Enem)

Mesmo tendo a trajetória do movimento interrompida com a prisão de seus dois líderes, o tropicalismo não deixou de cumprir seu papel de vanguarda na música popular brasileira. A partir da década de 70 do século passado, em lugar do produto musical de exportação de nível internacional prometido pelos baianos com a "retomada da linha evolutória", instituiu-se nos meios de comunicação e na indústria do lazer uma nova era musical.

José Ramos Tinhorão. *Pequena história da música popular*: da modinha ao tropicalismo. São Paulo: Art, 1986 (adaptado).

A nova era musical mencionada no texto evidencia um gênero que incorporou a cultura de massa e se adequou à realidade brasileira. Esse gênero está representado pela obra cujo trecho da letra é:

a) A estrela d'alva/ No céu desponta/ E a lua anda tonta/ Com tamanho esplendor. (As pastorinhas, Noel Rosa e João de Barro)

b) Hoje/ Eu quero a rosa mais linda que houver/ Quero a primeira estrela que vier/ Para enfeitar a noite do meu bem. (A noite do meu bem, Dolores Duran)

c) No rancho fundo/ Bem pra lá do fim do mundo/ Onde a dor e a saudade/ Contam coisas da cidade. (No rancho fundo, Ary Barroso e Lamartine Babo)

d) Baby Baby/ Não adianta chamar/ Quando alguém está perdido/ Procurando se encontrar. (Ovelha negra, Rita Lee)

e) Pois há menos peixinhos a nadar no mar/ Do que os beijinhos que eu darei/ Na sua boca. (Chega de saudade, Tom Jobim e Vinicius de Moraes)

C6-H18

85. (Enem)

Oximoro, ou paradoxismo, é uma figura de retórica em que se combinam palavras de sentido oposto que parecem excluir-se mutuamente, mas que, no contexto, reforçam a expressão.

Dicionário eletrônico Houaiss da língua portuguesa.

Considerando a definição apresentada, o fragmento poético da obra *Cantares*, de Hilda Hilst, publicada em 2004, em que pode ser encontrada a referida figura de retórica é:

a) "Dos dois contemplo

rigor e fixidez.

Passado e sentimento

me contemplam" (p. 91).

b) "De sol e lua

De fogo e vento

Te enlaço" (p. 101).

c) "Areia, vou sorvendo

A água do teu rio" (p. 93).

d) "Ritualiza a matança

de quem só te deu vida.

E me deixa viver

nessa que morre" (p. 62).

e) "O bisturi e o verso.

Dois instrumentos

entre as minhas mãos" (p. 95).

C6-H18

86. (Enem)

Texto I

[...] já foi o tempo em que via a convivência como viável, só exigindo deste bem comum, piedosamente, o meu quinhão, já foi o tempo em que consentia num contrato, deixando muitas coisas de fora sem ceder contudo no que me era vital, já foi o tempo em que reconhecia a existência escandalosa de imaginados valores, coluna vertebral de toda "ordem"; mas não tive sequer o sopro necessário, e, negado o respiro, me foi imposto o sufoco; é esta consciência que me libera, é ela hoje que me empurra, são outras agora minhas preocupações, é hoje outro o meu universo de problemas; num mundo estapafúrdio – definitivamente fora de foco – cedo ou tarde tudo acaba se reduzindo a um ponto de vista, e você que vive paparicando as ciências humanas, nem suspeita que paparica uma piada: impossível ordenar o mundo dos valores, ninguém arruma a casa do capeta; me recuso pois a pensar naquilo em que não mais acredito, seja o amor, a amizade, a família, a igreja, a humanidade; me lixo com tudo isso! me apavora ainda a existência, mas não tenho medo de ficar sozinho, foi conscientemente que escolhi o exílio, me bastando hoje o cinismo dos grandes indiferentes [...].

RADUAN NASSAR. *Um copo de cólera.* São Paulo: Companhia das Letras, 1992.

Texto II

Raduan Nassar lançou a novela *Um Copo de Cólera* em 1978, fervilhante narrativa de um confronto verbal entre amantes, em que a fúria das palavras cortantes se estilhaçava no ar. O embate conjugal ecoava o autoritário discurso do poder e da submissão de um Brasil que vivia sob o jugo da ditadura militar.

ROBERTO COMODORO. Um silêncio inquietante. *IstoÉ*. Disponível em: <http://www.terra.com.br>. Acesso em: 15 jul. 2009.

Considerando-se os textos apresentados e o contexto político e social no qual foi produzida a obra *Um Copo de Cólera*, verifica-se que o narrador, ao dirigir-se à sua parceira, nessa novela, tece um discurso:

a) conformista, que procura defender as instituições nas quais repousava a autoridade do regime militar no Brasil, a saber: a Igreja, a família e o Estado.

b) pacifista, que procura defender os ideais libertários representativos da intelectualidade brasileira opositora à ditadura militar na década de 70 do século passado.

c) desmistificador, escrito em um discurso ágil e contundente, que critica os grandes princípios humanitários supostamente defendidos por sua interlocutora.

d) politizado, pois apela para o engajamento nas causas sociais e para a defesa dos direitos humanos como uma única forma de salvamento para a humanidade.

e) contraditório, ao acusar a sua interlocutora de compactuar com o regime repressor da ditadura militar, por meio da defesa de instituições como a família e a Igreja.

C6-H18

87. (Enem)

Na novela *Um Copo de Cólera*, o autor lança mão de recursos estilísticos e expressivos típicos da literatura produzida na década de 70 do século passado no Brasil, que, nas palavras do crítico Antonio Candido, aliam "vanguarda estética e amargura política". Com relação à temática abordada e à concepção narrativa da novela, o texto I [da questão 86]:

a) é escrito em terceira pessoa, com narrador onisciente, apresentando a disputa entre um homem e uma mulher em linguagem sóbria, condizente com a seriedade da temática político-social do período da ditadura militar.

b) articula o discurso dos interlocutores em torno de uma luta verbal, veiculada por meio de linguagem simples e objetiva, que busca traduzir a situação de exclusão social do narrador.

c) representa a literatura dos anos 70 do século XX e aborda, por meio de expressão clara e objetiva e de ponto de vista distanciado, os problemas da urbanização das grandes metrópoles brasileiras.

d) evidencia uma crítica à sociedade em que vivem os personagens, por meio de fluxo verbal contínuo de tom agressivo.

e) traduz, em linguagem subjetiva e intimista, a partir do ponto de vista interno, os dramas psicológicos da mulher moderna, às voltas com a questão da priorização do trabalho em detrimento da vida familiar e amorosa.

C7-H23

88. (Enem)

O sedutor médio

Vamos juntar

Nossas rendas e

expectativas de vida

querida,

o que me dizes?

Ter 2, 3 filhos

e ser meio felizes?

Luis Fernando Verissimo. *Poesia numa hora dessas?!* Rio de Janeiro: Objetiva, 2002.

No poema *O sedutor médio*, é possível reconhecer a presença de posições críticas:

a) nos três primeiros versos, em que "juntar expectativas de vida" significa que, juntos, os cônjuges poderiam viver mais, o que faz do casamento uma convenção benéfica.

b) na mensagem veiculada pelo poema, em que os valores da sociedade são ironizados, o que é acentuado pelo uso do adjetivo "médio" no título e do advérbio "meio" no verso final.

c) no verso "e ser meio felizes?", em que "meio" é sinônimo de metade, ou seja, no casamento, apenas um dos cônjuges se sentiria realizado.

d) nos dois primeiros versos, em que "juntar rendas" indica que o sujeito poético passa por dificuldades financeiras e almeja os rendimentos da mulher.

e) no título, em que o adjetivo "médio" qualifica o sujeito poético como desinteressante ao sexo oposto e inábil em termos de conquistas amorosas.

C6-H18

89. (Enem)

> Pote Cru é meu pastor. Ele me guiará.
> Ele está comprometido de monge.
> De tarde deambula no azedal entre torsos de cachorro, trampas, trapos, panos de regra, couros, de rato ao podre, vísceras de piranhas, baratas albinas, dálias secas, vergalhos de lagartos, linguetas de sapatos, aranhas dependuradas em gotas de orvalho etc. etc.
> Pote Cru, ele dormia nas ruínas de um convento
> Foi encontrado em osso.
> Ele tinha uma voz de oratórios perdidos.
>
> Manoel de Barros. *Retrato do artista quando coisa.* Rio de Janeiro: Record, 2002.

Ao estabelecer uma relação com o texto bíblico nesse poema, o eu lírico identifica-se com Pote Cru porque:

a) entende a necessidade de todo poeta ter voz de oratórios perdidos.
b) elege-o como pastor a fim de ser guiado para a salvação divina.
c) valoriza nos percursos do pastor a conexão entre as ruínas e a tradição.
d) necessita de um guia para a descoberta das coisas da natureza.
e) acompanha-o na opção pela insignificância das coisas.

C6-H18

90. (Enem)

> 20 DE JULHO [1912]
> Peter Sumerville pede-me que escreva um artigo sobre Crane. Envio-lhe uma carta: "Acredite-me, prezado senhor, nenhum jornal ou revista se interessaria por qualquer coisa que eu, ou outra pessoa, escrevesse sobre Stephen Crane. Ririam da sugestão. [...] Dificilmente encontro alguém, agora, que saiba quem é Stephen Crane ou lembre-se de algo dele. Para os jovens escritores que estão surgindo ele simplesmente não existe."
>
> 20 DE DEZEMBRO [1919]
> Muito peixe foi embrulhado pelas folhas de jornal. Sou reconhecido como o maior escritor vivo da língua inglesa.

Já se passaram dezenove anos desde que Crane morreu, mas eu não o esqueço. E parece que outros também não. *The London Mercury* resolveu celebrar os vinte e cinco anos de publicação de um livro que, segundo eles, foi "um fenômeno hoje esquecido" e me pediram um artigo.

RUBEM FONSECA. *Romance negro e outras histórias*. São Paulo: Companhia das Letras, 1992 (fragmento).

Na construção de textos literários, os autores recorrem com frequência a expressões metafóricas. Ao empregar o enunciado metafórico "Muito peixe foi embrulhado pelas folhas de jornal", pretendeu-se estabelecer, entre os dois fragmentos do texto em questão, uma relação semântica de:

a) causalidade, segundo a qual se relacionam as partes de um texto, em que uma contém a causa e a outra, a consequência.

b) temporalidade, segundo a qual se articulam as partes de um texto, situando no tempo o que é relatado nas partes em questão.

c) condicionalidade, segundo a qual se combinam duas partes de um texto, em que uma resulta ou depende de circunstâncias apresentadas na outra.

d) adversidade, segundo a qual se articulam duas partes de um texto em que uma apresenta uma orientação argumentativa distinta e oposta à outra.

e) finalidade, segundo a qual se articulam duas partes de um texto em que uma apresenta o meio, por exemplo, para uma ação e a outra, o desfecho da mesma.

C7-H22

91. (Enem)

Texto I

João Guedes, um dos assíduos frequentadores do boliche do capitão, mudara-se da campanha havia três anos. Três anos de pobreza na cidade bastaram para o degradar. Ao morrer, não tinha um vintém nos bolsos e fazia dois meses que saíra da cadeia, onde estivera preso por roubo de ovelha.

A história de sua desgraça se confunde com a da maioria dos que povoam a aldeia de Boa Ventura, uma cidadezinha distante, triste e precocemente envelhecida, situada nos confins da fronteira do Brasil com o Uruguai.

CYRO MARTINS. *Porteira fechada*. Porto Alegre: Movimento, 2001 (fragmento).

Texto II

Comecei a procurar emprego, já topando o que desse e viesse, menos complicação com os homens, mas não tava fácil. Fui na feira, fui nos bancos de sangue, fui nesses lugares que sempre dão para descolar algum, fui de porta em porta me oferecendo de faxineiro, mas tava todo mundo escabreado pedindo referências, e referências eu só tinha do diretor do presídio.

RUBEM FONSECA. *Feliz ano novo*. São Paulo: Cia. das Letras, 1989 (fragmento).

A oposição entre campo e cidade esteve entre as temáticas tradicionais da literatura brasileira. Nos fragmentos dos dois autores contemporâneos, esse embate incorpora um elemento novo: a questão da violência e do desemprego. As narrativas apresentam confluência, pois nelas o(a):

a) criminalidade é algo inerente ao ser humano, que sucumbe a suas manifestações.

b) meio urbano, especialmente o das grandes cidades, estimula uma vida mais violenta.

c) falta de oportunidades na cidade dialoga com a pobreza do campo rumo à criminalidade.

d) êxodo rural e a falta de escolaridade são causas da violência nas grandes cidades.

e) complacência das leis e a inércia das personagens são estímulos à prática criminosa.

C8-H26

92. (Enem)

A História, mais ou menos

Negócio seguinte. Três reis magrinhos ouviram um plá de que tinha nascido um Guri. Viram o cometa no Oriente e tal e se flagraram que o Guri tinha pintado por lá. Os profetas, que não eram de dar cascata, já tinham dicado o troço: em Belém, da Judeia, vai nascer o Salvador, e tá falado. Os três magrinhos se mandaram. Mas deram o maior fora. Em vez de irem direto para Belém, como mandava o catálogo, resolveram dar uma incerta no velho Herodes, em Jerusalém. Pra quê! Chegaram lá de boca aberta e entregaram toda a trama. Perguntaram: *Onde está o rei que acaba de nascer? Vimos sua estrela no Oriente e viemos adorá-lo.* Quer dizer, pegou mal. Muito mal. O velho Herodes, que era um oligão, ficou grilado. Que rei era aquele? Ele é que era o dono da praça. Mas comeu em boca e disse: *Joia. Onde é que esse guri vai se apresentar? Em que canal? Quem é o empresário? Tem baixo elétrico? Quero saber tudo.* Os magrinhos disseram que iam flagrar o Guri e na volta dicavam tudo para o coroa.

LUIS FERNANDO VERISSIMO. *O nariz e outras crônicas.* São Paulo: Ática, 1994.

Na crônica de Verissimo, a estratégia para gerar o efeito de humor decorre do(a):

a) linguagem rebuscada utilizada pelo narrador no tratamento do assunto.

b) inserção de perguntas diretas acerca do acontecimento narrado.

c) caracterização dos lugares onde se passa a história.

d) emprego de termos bíblicos de forma descontextualizada.

e) contraste entre o tema abordado e a linguagem utilizada.

C5-H15

93. (Enem)

Logia e mitologia

Meu coração

de mil e novecentos e setenta e dois

já não palpita fagueiro

sabe que há morcegos de pesadas olheiras

que há cabras malignas que há

cardumes de hienas infiltradas

no vão da unha na alma

um porco belicoso de radar

e que sangra e ri

e que sangra e ri

a vida anoitece provisória

centuriões sentinelas

do Oiapoque ao Chuí.

CACASO. *Lero-lero.* Rio de Janeiro: 7Letras; São Paulo: Cosac & Naify, 2002.

O título do poema explora a expressividade de termos que representam o conflito do momento histórico vivido pelo poeta na década de 1970. Nesse contexto, é correto afirmar que:

a) o poeta utiliza uma série de metáforas zoológicas com significado impreciso.

b) "morcegos", "cabras" e "hienas" metaforizam as vítimas do regime militar vigente.

c) o "porco", animal difícil de domesticar, representa os movimentos de resistência.

d) o poeta caracteriza o momento de opressão através de alegorias de forte poder de impacto.

e) "centuriões" e "sentinelas" simbolizam os agentes que garantem a paz social experimentada.

C6-H18

94. (Enem)

O negócio

Grande sorriso do canino de ouro, o velho Abílio propõe às donas que se abastecem de pão e banana:

– Como é o negócio?

De cada três dá certo com uma. Ela sorri, não responde ou é uma promessa a recusa:

– Deus me livre, não! Hoje não...

Abílio interpelou a velha:

– Como é o negócio?

Ela concordou e, o que foi melhor, a filha também aceitou o trato. Com a dona Julietinha foi assim. Ele se chegou:

– Como é o negócio?

Ela sorriu, olhinho baixo. Abílio espreitou o cometa partir. Manhã cedinho saltou a cerca. Sinal combinado, duas batidas na porta da cozinha. A dona saiu para o quintal, cuidadosa de não acordar os filhos. Ele trazia a capa de viagem, estendida na grama orvalhada.

O vizinho espionou os dois, aprendeu o sinal. Decidiu imitar a proeza. No crepúsculo, pum-pum, duas pancadas fortes na porta. O marido em viagem, mas não era dia do Abílio. Desconfiada, a moça surgiu à janela e o vizinho repetiu:

– Como é o negócio?

Diante da recusa, ele ameaçou:

– Então você quer o velho e não quer o moço? Olhe que eu conto!

D<small>ALTON</small> T<small>REVISAN</small>. *Mistérios de Curitiba.* Rio de Janeiro: Record, 1979 (fragmento).

Quanto à abordagem do tema e aos recursos expressivos, essa crônica tem um caráter:

a) filosófico, pois reflete sobre as mazelas sofridas pelos vizinhos.

b) lírico, pois relata com nostalgia o relacionamento da vizinhança.

c) irônico, pois apresenta com malícia a convivência entre vizinhos.

d) crítico, pois deprecia o que acontece nas relações de vizinhança.

e) didático, pois expõe uma conduta a ser evitada na relação entre vizinhos.

C4-H12

95. (Enem)

KUCZYNSKIEGO, P. Ilustração, 2008. Disponível em: <http://capu.pl>. Acesso em: 3 ago. 2012.

O artista gráfico polonês Pawla Kuczynskiego nasceu em 1976 e recebeu diversos prêmios por suas ilustrações. Nessa obra, ao abordar o trabalho infantil, Kuczynskiego usa sua arte para:

a) difundir a origem de marcantes diferenças sociais.

b) estabelecer uma postura proativa da sociedade.

c) provocar a reflexão sobre essa realidade.

d) propor alternativas para solucionar esse problema.

e) retratar como a questão é enfrentada em vários países do mundo.

Gabarito

1. a
2. c
3. c
4. d
5. b
6. e
7. b
8. c
9. c
10. c
11. e
12. d
13. c
14. b
15. a
16. a
17. c
18. c
19. b
20. b
21. e
22. b
23. a
24. b
25. a
26. a
27. d
28. b
29. b
30. c
31. a
32. b
33. e
34. a
35. c
36. c
37. e
38. d
39. d
40. d
41. a
42. e
43. a
44. c
45. c
46. b
47. a
48. e
49. d
50. c
51. e
52. b
53. c
54. d
55. b
56. d
57. e
58. c
59. b
60. c
61. c
62. b
63. a
64. d
65. a
66. e
67. d
68. b
69. a
70. d
71. d
72. a
73. c
74. e
75. c
76. e
77. a
78. e
79. a
80. c
81. e
82. b
83. c
84. d
85. d
86. c
87. d
88. b
89. e
90. b
91. c
92. e
93. d
94. c
95. c